JOHNNY CATACOMBE

EN PLUS !

L'auteur
Richard Petit
t'ouvre son

COFFRE AUX
TRÉSORS...

JOHNNY CATACOMBE

Texte et illustrations
de
Richard Petit

Éditeur jeunesse

© 2006

Boomerang éditeur jeunesse remercie la SODEC pour l'aide accordée à son programme éditorial.

ISBN-10 : 2-89595-204-3
ISBN-13 : 978-2-89595-204-6

Imprimé au Canada

Dépôt légal : Bibliothèque et Archives nationales du Québec, 3e trimestre 2006

Gouvernement du Québec – Programme de crédit d'impôt pour l'édition de livres – Gestion SODEC

Boomerang éditeur jeunesse inc.
Québec (Canada)

Courriel : edition@boomerangjeunesse.com
Site Internet : www.boomerangjeunesse.com

Modèles numériques fournis par : Daz 3D, Renderosity, HandspanStudio, ThorneWorks, Patrick A. Shields, TrekkieGrrrl, HIM666, Amber Jordan, Maya, Laura Gilkey, 3dmodelz, Aya-Zoozi, Poism, Jen, Jaguarwoman, Uzilite, Nymesis, Epken, HMG Designs, Quarker, Anton's FX, 3D Universe, Hankster, Gerald Day, Palladium 17, HMann et plusieurs autres...

TOI!

Tu fais maintenant partie de la bande des
TÉMÉRAIRES DE L'HORREUR.

OUI ! Et c'est toi qui tiens le rôle principal dans ce livre où tu auras bien plus à faire que de tout simplement... LIRE. En effet, tu devras déterminer toi-même le dénouement de l'histoire en choisissant les numéros des chapitres suggérés afin, peut-être, d'éviter de basculer dans des pièges terribles ou de rencontrer des monstres horrifiants.

Aussi, au cours de ton aventure, lorsque tu feras face à certains dangers, tu auras à jouer au jeu des **PAGES DU DESTIN...** Par exemple, si dans ton aventure tu es poursuivi par une espèce de monstre dangereux et qu'il t'est demandé de TOURNER LES PAGES DU DESTIN afin de savoir si ce monstre va t'attraper, la première chose que tu dois tout de suite faire, c'est placer ton doigt tout tremblotant ou un signet à la page où tu es rendu pour ne pas perdre ta page, car tu auras à y revenir. Ensuite, SANS REGARDER, tu laisses glisser ton pouce sur le côté de ton Passepeur en faisant tourner les feuilles rapidement pour finalement t'arrêter AU HASARD sur l'une d'elles.

Maintenant, regarde au bas de la page de droite. Il y a trois pictogrammes. Pour savoir si le monstre t'a attrapé, il n'y en a que deux qui te concernent, celui de l'espadrille et celui de la main.

Pour le moment, tu ne t'occupes pas des autres. Ils te serviront dans d'autres situations. Je t'explique tout un peu plus loin.

Comme tu as peut-être remarqué, sur une page, il y a une espadrille et sur la suivante, il y a une main et ainsi de suite, jusqu'à la fin du livre. Si, par chance, en tournant les pages du destin, tu t'arrêtes au hasard sur le pictogramme de l'espadrille, eh bien, bravo ! tu as réussi à t'enfuir. Là, retourne au chapitre où tu étais rendu. Il t'indiquera le numéro de l'autre chapitre où tu dois aller pour fuir le monstre. Si tu es le moindrement malchanceux et que tu t'arrêtes sur le pictogramme de la main, eh bien, le monstre t'a attrapé. Là encore, tu reviens au chapitre où tu étais, mais tu auras par contre à te rendre au chapitre indiqué où tu tomberas entre les griffes du monstre.

Lorsqu'on te demandera de TOURNER LES PAGES DU DESTIN, tu n'utiliseras, selon le cas, que les DEUX pictogrammes qui concernent l'événement. Voici les autres pictogrammes et leur signification...

Pour déterminer si une porte est verrouillée ou non :

 Si tu tombes sur ce pictogramme-ci, cela signifie qu'elle est verrouillée ;

 si tu t'arrêtes sur celui-ci, cela signifie qu'elle est déverrouillée.

S'il y a un monstre qui regarde dans ta direction :

 Ce pictogramme veut dire qu'il t'a vu ;

 celui-ci veut dire qu'il ne t'a pas vu.

En plus, pour te débarrasser des monstres que vous allez rencontrer tout au long de cette aventure, tu pourras utiliser une arme super *COOL*, votre « blogueur ». Cette arme va vous être très utile. Cependant, pour atteindre avec cette arme puissante les monstres qui t'attaquent, tu auras à faire preuve d'une grande adresse au jeu des pages du destin. Comment ? C'est simple : regarde dans le bas des pages de gauche, il y a un monstre, ton blogueur et les virus destructeurs lancés par ton arme.

Le monstre représente toutes les créatures que tu vas rencontrer au cours de ton aventure. Plus tu t'approches du centre du livre, plus les virus destructeurs se rapprochent du monstre. Lorsque justement, dans ton aventure, tu fais face à une créature malfaisante et qu'il t'est demandé d'essayer de l'atteindre avec ton blogueur pour l'éliminer, il te suffit de tourner rapidement les pages de ton Passepeur en essayant de t'arrêter juste au milieu du livre. Plus tu t'approches du centre du livre, plus les virus projetés par ton blogueur se rapprochent du monstre. Si tu réussis à t'arrêter sur une des cinq pages centrales du livre portant cette image,

eh bien, bravo ! tu as visé juste et tu as réussi à atteindre de plein fouet la créature qui te cherchait querelle et, de ce fait, à t'en débarrasser. Tu n'as plus qu'à suivre les instructions au chapitre où tu étais rendu selon que tu l'as touchée ou non.

Ta terrifiante aventure débute au chapitre 1. Et n'oublie pas : une seule fin te permet de terminer... *Johnny Catacombe*.

1

Il est presque 20 h. Tu attends, caché, seul dans ce grand immeuble à appartements abandonné du quartier mal famé de Sombreville. Les murs tombent en décrépitude et presque tous les carreaux de fenêtre sont brisés. Les morceaux de verre sur le plancher te renvoient la lueur de la lune en plein dans les yeux. Tu te demandes ce qui retarde tes amis. Ils devraient être là depuis un bon moment. Marjorie et Jean-Christophe ont l'habitude d'être en retard, mais pas autant que ça. Deux heures à poireauter tout seul dans le noir, pour surveiller la boutique de Johnny Catacombe, c'est long, très long…

L'enseigne au néon du commerce s'éteint. Dans la rue, il fait maintenant très noir. De l'étage juste au-dessous de toi proviennent soudain des bruits. Tu fouilles dans ton sac et tu attrapes le téléphone cellulaire que tu as piqué… bon, emprunté plutôt, à ta mère. Si ce ne sont pas tes amis, tu pitonnes le numéro de la police, c'est ton plan.

Les bruits se rapprochent. Mais tu réfléchis : si le téléphone sonne, tu es fait. La sonnerie va annoncer ta présence et donner du même coup ta position à l'intrus. Ton cœur bat très vite…

La tête de Jean-Christophe émerge de la cage d'escalier. Tu pousses un soupir et tu ranges le téléphone.

Rends-toi au chapitre 45.

2

LA VRAIE HISTOIRE
DU BONHOMME SEPT HEURES

Autrefois, il y a de cela très longtemps, environ une soixantaine d'années, on racontait aux enfants turbulents qui s'amusaient dans leur lit, pour les inciter à dormir, qu'ils recevraient la visite d'un monsieur effroyablement terrifiant : le Bonhomme Sept Heures…

Généralement, cette menace, fausse en tout point car le Bonhomme Sept Heures n'existait pas, suffisait à calmer les enfants excités et à les pousser au sommeil… Or, il y eut un temps où ce personnage existait vraiment, à une époque beaucoup plus reculée, il y a plus d'un siècle pour être précis.

Dans ce temps-là, à peu près chaque ville et village comptait un homme qui pouvait replacer ou relaxer les muscles endoloris des gens fatigués après une très rude et très difficile journée de travail. Ces hommes, qui furent probablement les premiers chiropraticiens, visitaient généralement les maisons après le repas du soir pour traiter leurs patients.

Suite au chapitre 76.

3

— Ce cinglé de Johnny Catacombe, que l'on croyait être un démon ou quelque chose du genre, n'est en fait qu'un simple voleur, expliques-tu à ton amie. Ces objets n'ont jamais été perdus; ils ont été volés par ses monstres au cours des années. Maintenant, il est rongé par une stupide ambition. Les objets des gens ne lui suffisent plus. Il veut s'approprier des personnes aussi. Je suis enfermé près d'une caisse qui contient tous mes objets perdus !

Marjorie se met à réfléchir :

— Ce qui expliquerait pourquoi nous sommes tous les deux emprisonnés près de nos caisses. Il est peut-être fou, mais il est très ordonné. Il veut nous collectionner comme des objets.

Marjorie devient soudaine muette.

— Quoi ? Qu'est-ce qu'il y a, Marjorie ? Qu'est-ce qui se passe ?

— C'est mon frère ! Il vient vers moi. Il a réussi à sortir de sa cage.

— Marjorie ! Tu ne me croiras pas ! J'ai retrouvé toutes les choses que j'ai perdues au cours de ma vie : mon jeu vidéo, mes lunettes rayons X, mon devoir de maths… Tu te rappelles, j'ai été puni, et papa m'a interdit de sortir pendant plusieurs semaines parce que je l'avais égaré…

Allez au chapitre 59.

5

La grande créature se juche très haut sur ses pattes et évite le tir. RATÉ !

L'araignée avance vers toi. Juste comme tu t'apprêtais à déguerpir, elle projette un solide filet gluant qui s'agglutine à tes pieds. Tu te retrouves collé au sol. Marjorie et Jean-Christophe te saisissent par les bras et tentent de te tirer vers eux. RIEN À FAIRE !

L'araignée projette un autre long filet, et tes deux amis se retrouvent collés à toi. L'araignée vous saisit ensuite avec ses longues pattes et vous enroule tous les trois dans un gros cocon. Tu as soudain de la difficulté à respirer et tu finis par t'évanouir…

Tu reviens à toi et tu ouvres les yeux. Où te trouves-tu ? Tu n'en as aucune idée ! Autour de toi, il fait plutôt sombre. Tu n'es plus emmitouflé avec tes amis dans la toile de l'araignée. Et où est l'araignée, au fait ? Tu reçois de bien curieuses ondes qui te poussent à marcher comme un animal. Tu sors d'une espèce de grotte et tu parviens à une immense toile dans laquelle un pauvre chat est retenu prisonnier. Tu avances adroitement… AVEC TES HUIT PATTES ! Tu t'approches, non pas pour le délivrer… PAUVRE CHAT !

6

Lentement, tu t'approches de la première urne et tu soulèves doucement le couvercle. À l'intérieur, il n'y a que de la cendre, c'est normal. Peut-être que le plan du labyrinthe se cache… DANS LA CENDRE ! Oh non ! tu n'es pas très tenté de fouiller avec ta main. Tu saisis le vase et tu te mets à le brasser vigoureusement. Tu jettes un autre coup d'œil à l'intérieur. Pas de plan… SEULEMENT UN HORRIBLE VISAGE QUI TE REGARDE !

OUAAAAH !

Tu déposes le vase… TROP FORT ! Le meuble finalement s'écroule, et la cendre du vase que tu avais choisi se répand sur le plancher ainsi que sur tes pieds. Tu n'oses pas bouger, car tu sais que tu viens de commettre un grand sacrilège…

À ta gauche et à ta droite, tes amis ont disparu. Bonjour la solidarité…

À tes pieds, la cendre devient soudain verte et elle se met à monter sur tes jambes, sous ton jeans. Tes mains s'immobilisent, et tes doigts deviennent tout gris. Le bout de ton index s'effrite et tombe en poussière. Sous tes yeux, tes mains et ensuite tes bras se transforment en cendre. Ta tête commence elle aussi à changer de couleur…

FIN

7

Tu sors la tête de l'eau. Plus une seule fourmi ne nage à la surface. Au loin, tu aperçois tes deux amis qui accourent vers toi.

— Est-ce que ça va ? s'inquiète Marjorie, qui arrive à ta hauteur. Tu vas bien ?

Jean-Christophe te regarde avec un air quelque peu terrifié.

— Tu as du sang qui coule partout sur ton visage, t'apprend-il. Il faut aller à la clinique. VITE !

À l'entrée de l'établissement, deux infirmières se jettent sur toi. Quinze minutes plus tard, tu as la tête enrubannée et tu ressembles à la momie du pharaon Dhéb-ile. Marjorie sursaute en entrant dans la salle de traitement.

Un médecin la suit.

— Une nuit de repos te fera le plus grand bien et demain matin, tu seras sur pied, te dit-il de façon rassurante.

Puis il te quitte pour aller voir un autre patient.

Marjorie te regarde avec un air de pitié…

— Je vais bien, que je vous dis ! insistes-tu. Aidez-moi à sortir d'ici !

Jean-Christophe pousse ta civière jusqu'au chapitre 67.

8

*Toute tremblotante, Marjorie lève
lentement la lampe au chapitre 48.*

9

— C'EST LE GAZÉBO D'UNE RÉSIDENCE POUR PERSONNES ÂGÉES !

— Qu'est-ce qui te fait dire cela ? te demande Jean-Christophe en examinant tout autour de lui.

— ÇA ! montres-tu avec ton index…

Sur une table blanche en plastique, il y a un verre qui contient… UN DENTIER ! Tu t'approches de l'autel et tu trempes un doigt dans le sang pour y goûter…

— C'est bien ce que je pensais, du jus de cerise…

Jean-Christophe est éberlué.

Une vieille dame arrive en marchant avec une canne.

— Bonjour Jean-Christophe, bonjour à vous tous, vous dit-elle d'une voix chevrotante.

— Vous connaissez mon nom ! s'étonne ton ami.

— Je connais tout le monde à Sombreville, il y a tellement longtemps que j'y suis…

— Connaissez-vous Johnny Catacombe ? tentes-tu de lui demander sans espérer de réponse…

— Bien entendu que je le connais, lui aussi. L'entrée de sa cachette se trouve dans le vieux corbillard derrière son commerce…

Retournez au chapitre 4 et foncez vers son repaire…

10

Vous parvenez, après une assez longue recherche, à trouver un escalier qui va ramener tout le monde en sécurité à la surface. Au pied de cet escalier, vous regardez les prisonniers libérés gravir les marches. Comme tes amis, tu es très tenté de les suivre et de rentrer chez toi, mais tu sais très bien que les ignobles activités de Johnny Catacombe recommenceraient de plus belle. Tu sais qu'il faut régler le problème une fois pour toutes.

Tu examines les colonnes qui soutiennent la voûte…

— Nous n'avons qu'à faire sauter tout ça, et c'est terminé, leur suggères-tu. PAS COMPLIQUÉ !

— Ouais ! peut-être ! te dit Marjorie. Sauf que le problème, c'est que personne ne traîne d'explosifs sur lui…

— Et en plus, ton plan ne nous garantit pas que nous allons nous débarrasser de ce Johnny, renchérit son frère… Il faut trouver ce fou et l'emmener à la police.

— D'après vous, demande Marjorie, où se cache-t-il ? Vous avez une idée ?

— LES CATACOMBES ! Qu'est-ce que vous en pensez ? Si nous trouvons les catacombes, nous allons le trouver, lui aussi…

Vous cherchez du côté du chapitre 47.

11

Vous suivez Marjorie, qui a arraché la lampe des mains de son frère et qui a pris la tête. L'escalier descend profondément jusqu'à un grand tunnel creusé dans la pierre. Tu n'oses pas toucher les parois suintantes, car tu crains que le liquide de couleur douteuse ne soit pas que de la simple et ordinaire eau. Des bruits de pas lourds et des grognements se font soudain entendre. Marjorie éteint la lampe, question de ne pas vous faire repérer. Les pas se rapprochent puis s'éloignent. Tu comprends que ce tunnel dans lequel vous vous trouvez débouche sur un autre qui va de gauche à droite loin devant vous. Tu donnes un coup de coude à Marjorie. Elle sursaute et allume la lampe. Vous avancez lentement tous les trois et parvenez à l'embouchure. Marjorie braque le faisceau dans les deux directions.

— Je ne vois rien ! vous murmure-t-elle. De quel côté allons-nous ?

— À gauche, pas du côté des grognements, lui réponds-tu.

Marjorie se tourne vers le passage qui s'étend loin devant vous, le faisceau braqué sur le sol pour éviter les pièges possibles.

Soudain, le faisceau lumineux de la lampe éclaire quelque chose au chapitre 8.

12

RATÉ !

Non mais, sérieusement ! Il aurait fallu que tu t'entraînes dans un kiosque de tir avant de te servir de ce blogueur.

Les virus lancés par ton arme frappent la carrosserie rouillée du corbillard et tombent sur le sol, assommés. Lorsque tu t'apprêtes à tirer une seconde fois, une patte poilue t'arrache le blogueur des mains. Désarmé, tu n'as maintenant d'autre choix que de tenter de t'enfuir. Attaché au tronc d'un arbre, ton ami Jean-Christophe n'est plus qu'un gros cocon blanc. Ces ignobles créatures l'ont recouvert d'une sorte de barbe à papa dégoûtante…

Une extra grosse araignée saute au cou de Marjorie et plante ses mandibules pointues dans sa peau. Tu voudrais crier à l'aide, mais la peur a comme paralysé tes cordes vocales…

Tu réussis par miracle à leur échapper. Tu ne cesses de courir qu'une fois parvenu à la rue principale, passablement bondée. Des gens sortent en groupe du cinéma. Tu te retournes et tu arrives face à face avec une araignée géante. Ton cœur s'arrête, ton corps devient tout raide et tu tombes sur le trottoir, terrassé par la simple affiche du film qui s'intitule *Les araignées de l'espace*…

FIN

13

Tu sais très bien que si tu te relèves maintenant et que tu sors la tête de l'eau, elles vont toutes en profiter pour s'agripper à toi, et tu te retrouveras encore avec le même problème. Tu décides alors de demeurer immobile, sachant bien que plus tu attendras sous l'eau, moins il y aura de fourmis, à la surface lorsque tu sortiras...

Maintenant, retiens ton souffle...

Si tu ne parviens qu'à compter jusqu'à 50 avant de recommencer à respirer, il y aura plusieurs fourmis à la surface lorsque tu sortiras. Rends-toi au chapitre 18.

Si tu arrives à compter jusqu'à 75, il n'y aura que quelques fourmis qui vont s'agripper à ta tête lorsque tu émergeras de l'eau. Va alors au chapitre 53.

Si tu réussis à compter jusqu'à 100 BRAVO ! il n'y aura plus une seule de ces sales bestioles lorsque tu sortiras de la fontaine. Va au chapitre 7 où t'attendent tes amis...

14

Rends-toi au chapitre de la voie que tu auras choisie…

15

Tu avances avec la certitude que tu t'es trompé. Tu poses la main sur la poignée et tu ouvres lentement la portière. Un effroyable et très macabre grincement jaillit des gonds rouillés. Marjorie jette un rapide coup d'œil circulaire autour de vous.

— Bravo ! te chuchote-t-elle. Bonjour la discrétion ! Tu viens de signaler notre présence à tout le voisinage...

Tu lèves les épaules.

— Ce n'est pas ma faute si ce vieux débris tombe en décrépitude.

Tu te sens soudain attrapé à la cheville. Tu penches la tête. Une horrible main décharnée te tire à l'intérieur du corbillard. Jean-Christophe t'attrape par ton chandail. Une autre main saisit ton jeans et te tire, elle aussi. Marjorie tente avec témérité d'enlever la main répugnante, mais lorsqu'elle saisit un doigt... IL LUI RESTE DANS LA MAIN !

Un terrifiant visage aux yeux tout blancs apparaît dans la noirceur. La moitié de ton corps est maintenant à l'intérieur du véhicule. Tes amis conjuguent leurs efforts, mais ce corps de mort est doté d'une grande force. Derrière toi, la portière se referme, et tu te retrouves dans le noir.

FIN

17

Tu te rappelles combien tu étais peiné de l'avoir égaré et de ne jamais avoir pu le retrouver. Tu passes le bras entre les barreaux et tu tends la main pour le saisir. Le bout de tes doigts touche le jouet. Tu grattes et tu parviens finalement à le tirer vers toi. Tu es tout étonné de voir à quel point il est identique à celui que tu as perdu. Tu le retournes pour voir l'autre côté. Ta mâchoire tombe sur ton torse lorsque tu aperçois tes initiales gravées sur le jouet. Ce yoyo est bel et bien celui que tu as perdu...

Quelle drôle de coïncidence !

Un autre monstre revient dans ta direction. Tu te lèves dans ta cage et tu dissimules ton yoyo derrière ton dos. Le monstre tient dans ses mains le blogueur de Marjorie. Il le dépose dans une boîte tout près de toi et repart sans même te regarder. Tu bouges dans la cage et tu glisses un œil pour voir ce qu'il y a d'écrit sur la grande caisse. Encore une fois, tu es éberlué de constater que la caisse porte ton prénom ainsi que ton nom de famille. Tu te lèves sur la pointe des pieds pour regarder son contenu. Tu aperçois plein de trucs qui t'appartenaient et que tu as perdus au cours des années...

Qu'est-ce que cela signifie ?

Va au chapitre 36.

Incapable de tenir plus longtemps, tu sors la tête. Enragées, les fourmis se jettent sur toi. Il y en a des dizaines qui te grimpent au visage. Tu veux prendre une très grande inspiration afin de replonger, mais plusieurs d'entre elles ont décidé d'envahir tous les orifices de ton visage : ton nez, tes oreilles, ta bouche…

FIN

19

Dans une grande cour, derrière une clôture de bois pourrie, est garée une vieille voiture noire et très rouillée. C'est l'ancien corbillard qui servait à transporter les morts du salon mortuaire au cimetière. Les pneus de la voiture sont dégonflés, et le pare-brise a été fracassé.

Des cercueils sont empilés dans un coin, sous un arbre mort. Plusieurs sont ouverts, et de l'un d'eux pend même une main décharnée. Tu t'arrêtes et tu l'observes quelques secondes. Elle ne bouge pas...

OUF !

Tu notes la présence d'un petit mausolée en ruine entouré de hautes herbes. Les pierres craquelées et lézardées menacent de tomber à tout moment.

Une trappe à double porte en bois très épais semble donner accès à une cave sombre et humide. Le loquet est traversé par un gros cadenas...

Sous une arche est cachée une autre porte toute cloutée. C'est sans doute l'accès principal à l'édifice.

Tu regardes tes deux amis et tu pointes avec ton doigt l'endroit où tu désires aller...

... *au chapitre 4.*

20

40

30

21

— Alors, quel est le plan ? demandes-tu à ton ami.

— Il faut trouver une façon discrète de pénétrer dans la boutique, par la ruelle, je pense. Nous ne devons pas oublier que cette boutique est située dans les anciens locaux du salon mortuaire, le tristement célèbre salon mortuaire fermé depuis plus de vingt ans. Mon père nous a raconté qu'un soir, un mort s'était réveillé spontanément dans son cercueil et qu'il avait attaqué les visiteurs. Cet incident avait fait la manchette de tous les journaux.

— Qu'est-ce qui est arrivé par la suite ? lui demandes-tu.

— La peur s'est installée dans la ville et, devant cette situation inexplicable, les autorités ont préféré barricader l'édifice. Il a été abandonné jusqu'à ce qu'un certain Johnny Catacombe l'achète pour ouvrir un commerce…

— Tu crois qu'il y a un lien entre cet évènement et la disparition de jeunes de notre école ? lui demande Marjorie.

— Ça ne m'étonnerait pas du tout !

— Tu as tout ce qu'il faut dans ton sac à dos ? demandes-tu à Marjorie, la responsable du matériel.

Elle ouvre son sac… AU CHAPITRE 54.

CECI !

NE TOMBE PAS DANS LES POMMES POURRIES !
Rends-toi plutôt au chapitre 49.

23

Johnny Catacombe se retourne vers toi…

— Tu sais ce que je vais faire, maintenant ? te dit-il en parlant très fort pour que tu comprennes malgré tes deux doigts placés dans le trou de tes oreilles. Je vais embrasser Marjorie. Mes lèvres empoisonnées vont la transformer en statue. Vois-tu, je ne peux pas supporter que mes objets de collection se mutinent contre moi. Je n'ai d'autre choix que de vous transformer tous en statues…

Tu retires tes doigts de tes oreilles. Johnny Catacombe sourit. Il sait que maintenant, parce que tu entends de nouveau la musique, tu vas te mettre à danser d'une façon incontrôlable comme un peu plus tôt, et que tu ne pourras rien faire contre lui malgré le blogueur accroché à ta ceinture. Des secondes passent et tu demeures immobile devant lui. Le sourire arrogant de Johnny Catacombe vient de quitter son visage. Il ne comprend pas pourquoi tu n'es plus ensorcelé par sa musique magique. Tes amis Marjorie et Jean-Christophe non plus, d'ailleurs. Tu décroches ton arme de ta ceinture et tu la pointes directement vers Johnny Catacombe, qui semble figé par son incompréhension…

Il fait un très petit signe avec sa main, et la musique cesse au chapitre 55.

Johnny
Catacombe…

*Rends-toi au
chapitre 79.*

25

Grâce à cette rapidité légendaire qui t'a valu tant de médailles aux olympiades de l'école, tu es parvenu à semer le monstre. Les deux mains appuyées sur tes genoux, tu reprends ton souffle tout en pensant à tes amis Marjorie et Jean-Christophe. Tu sais qu'ils sont tous les deux capables de s'occuper d'eux-mêmes, mais tu es tout de même rongé par l'inquiétude…

Tu cherches une façon d'accéder à l'étage inférieur, le niveau où sont tombés tes deux amis. Un escalier en colimaçon monte et descend… PARFAIT !

Bien entendu, tu descends…

Une odeur désagréable, que tu connais très bien, parvient à tes narines… L'ODEUR DES MORTS !

Un long et large passage, dont les parois de pierre sont creusées de cavités dans lesquelles reposent des squelettes blanchis par le temps, s'ouvre devant toi. Ce décor te rappelle étrangement les catacombes de Paris, que tu as visitées lors d'un voyage avec un groupe d'élèves de l'école. Tu avances en évitant de regarder les orbites vides des crânes, qui semblent te dévisager et te font sentir, avec raison, comme un visiteur inopportun.

Sur un trône étrange, au chapitre 24, est assis un personnage que tu reconnais…

27

Vous avancez vers le tas de cercueils. Quelques-uns sont entrouverts, mais la plupart sont fermés. Tu écoutes attentivement ! Aucun son ne provient des grandes caisses de bois. S'il y a quelque chose à l'intérieur de l'un des cercueils, c'est complètement mort... OU JUSTE ENDORMI !

Une grosse araignée orange et vert descend juste devant toi et atterrit sur le sol. Tu sais très bien que plus ces araignées sont colorées, plus leur poison est dangereux. Tu t'écartes et tu laisses passer madame. Tu réalises que tu l'as échappé belle, car elle aurait pu arriver en plein sur le dessus de ta tête...

Tu étires le cou vers un cercueil ouvert. À l'intérieur, il y a un cadavre embaumé. Tu retiens une grimace de dégoût. Jean-Christophe s'approche, mais Marjorie ne veut pas regarder...

Il grimace lui aussi.

Tu empoignes le couvercle fermé d'un autre cercueil et tu l'ouvres...

Il n'y a rien dans celui-ci, même pas de fond, mais un long couloir qui débouche tu ne sais pas où...

Vous pénétrez dans le cercueil et traversez le passage qui vous amène au chapitre 14.

28

Tu baisses ton arme…

Marjorie et Jean-Christophe te regardent, éberlués. Ils ne semblent pas d'accord.

— Pardon, monsieur ! commences-tu à dire poliment, pourquoi êtes-vous encore ici et pas au cimetière, comme tous les autres ? Vous a-t-on oublié ?

Le mort-vivant ouvre lentement la bouche. Des filets de bave s'étirent entre ses lèvres.

— Toute ma vie, j'ai été seul, et maintenant je suis seul dans la mort, explique le cadavre. Je suis sans le sou, et les gens du salon mortuaire m'ont abandonné ici, à l'arrière du bâtiment, jusqu'à ce que des personnes charitables paient mon enterrement, ce qui ne s'est, hélas ! jamais produit. J'ai toujours souhaité avoir des enfants comme vous, comme j'ai souvent rêvé de jouer au parc avec les jeunes. J'ai toujours été seul à m'ennuyer. Moi qui croyais trouver dans la mort la fin de mon ennui…

— Excusez-moi, monsieur ! l'arrêta Marjorie, mais pourquoi vous nous racontez tous ces détails ? Nous n'en avons rien à foutre, vous savez…

Le mort-vivant sourit, de sa bouche presque tout édentée…

Au chapitre 42.

29

Après le mauvais épisode des fourmis, tu laisses ton ami Jean-Christophe pénétrer le premier à l'intérieur du mausolée. Marjorie le suit, et toi, tu fermes la marche. Ce n'est pas une question de lâcheté, et tes amis le savent très bien...

Dans le petit bâtiment qui tombe en ruine règne un désordre incroyable. Plusieurs urnes ont été renversées, et il y a de la cendre grise presque partout sur le plancher. Jean-Christophe contourne les cendres avec d'infimes précautions, car il faut tout de même être respectueux envers les morts...

Une odeur étrange flotte.

Tu cherches partout autour de toi pour voir si tu n'apercevrais pas le plan de la vieille dame sur la cendre. NON ! vous n'avez pas cette chance. Il va falloir fouiller dans une des trois urnes en céramique posées sur un meuble vermoulu, qui tient debout par miracle près du mur au fond, dans l'ombre...

Approche-toi du vieux meuble ! Il se trouve au chapitre 87.

31

OOUUAAHH !

— CE N'EST PAS UNE CHOSE À FAIRE LORSQUE LA SITUATION EST SI GRAVE ! te réprimande-t-elle.

— Ce n'était que pour détendre l'atmosphère ! lui réponds-tu. Je trouvais que tu étais terriblement tendue…

Jean-Christophe allume sa lampe et dirige le faisceau dans les profondeurs de l'escalier.

— Ce passage secret cache quelque chose de très important, c'est certain, en déduit-il.

Tu t'approches de lui pour regarder dans le cercueil.

— Euh ! fait Marjorie derrière eux. Est-il juste de dire « passage secret », lorsqu'il ne l'est plus ? Parce que… un passage est secret lorsque personne ne connaît son existence. Nous venons de le découvrir, alors c'est tout simplement un passage ordinaire.

Jean-Christophe te regarde d'un air découragé…

— M'énerve !

Tu souris à ton ami…

Marjorie enjambe le cercueil.

— Alors, on y va ou on se fait des crêpes ?

— M'énerve beaucoup ! répète Jean-Christophe.

Au chapitre 11.

32

Tu croises d'abord les doigts et tu choisis celle qui se trouve juste en face de toi. Pourquoi ? Parce qu'il y a des fleurs dessinées dessus, et les dames aiment beaucoup les fleurs, c'est très connu, voilà pourquoi...

Tu dévisses le couvercle. Jean-Christophe et Marjorie bougent nerveusement et commencent à s'impatienter. Tu leur souris, car un papier roulé se trouve à l'intérieur. Tu retournes le vase, et le rouleau tombe dans les mains de Marjorie. Elle le déroule et constate qu'il s'agit bel et bien d'un plan de labyrinthe.

— Alors voilà ! en conclut-elle. Si le plan existe, il y a de fortes chances que le labyrinthe existe aussi...

Tu la regardes, un peu étonné...

— Tu ne croyais pas l'histoire de la vieille dame ?

— Il ne faut pas toujours croire ce que les vieilles personnes nous racontent, t'explique Marjorie. Quelquefois, elles en ajoutent et même en inventent... Regarde l'histoire du fameux Bonhomme Sept Heures...

— JE NE SUIS PAS D'ACCORD ! protestes-tu. C'est une vraie histoire que celle du Bonhomme Sept Heures...

Tu veux entendre cette histoire ? Rends-toi au chapitre 2.

Tu préfères aller immédiatement étudier ton plan pour ensuite commencer l'exploration du labyrinthe ? Va alors au chapitre 50...

33

Ta salve de virus atteint les trois araignées.

SPLAAARB !

Très rapidement, les trois arachnides se retrouvent percés de plusieurs trous comme du fromage suisse. Ils s'affaissent tous les trois devant Marjorie, qui recommence à respirer.

Tu tires quelques coups pour exterminer les autres, et vous pénétrez dans l'immeuble. À l'intérieur, tu avances en conservant le doigt sur la gâchette. Quelques chandelles se consument ici et là. Il y a donc quelqu'un...

Des tableaux de personnages étranges vous regardent. Un petit frisson te parcourt le dos. Un gros cancrelat passe juste devant toi; tu retiens ton index. Avec le bout de ton arme, tu pousses une porte, et vous pénétrez dans un bureau sombre et poussiéreux.

Sur une table sont posés trois hauts-de-forme comme ceux que porte Johnny Catacombe. Tu cherches autour dans la pénombre. Il ne semble pas être ici...

Dans une étagère aux vitres étonnamment propres, tu aperçois toute une série de grands albums de photos au chapitre 39

34

À part les battements d'ailes des chauves-souris qui traversent le ciel sombre, c'est le silence total. Marjorie bouge la tête de gauche à droite; elle a aperçu quelque chose. Vous vous arrêtez, tous les trois. Plusieurs rats vous surveillent d'une caisse de bois pourrie. Le plus gros d'entre eux s'avance lentement vers vous. Sa bouche ensanglantée et fatiguée de mastiquer du bois veut de la vraie nourriture.

Tu grimaces en constatant que ton nom apparaît sur son prochain menu. Jean-Christophe attrape une planche transpercée par des clous et la lance dans la direction du rat pour l'effrayer. Comble de malheur, la planche s'abat sur le rongeur et l'écrase. Une glu verdâtre presque lumineuse coule de son corps. Un gros insecte s'échappe de sa bouche ouverte. Dégoûté, tu retiens ton estomac qui a envie lui aussi de faire sortir des trucs de ta bouche…

POUAH !

Jean-Christophe fait un pas dans la direction des autres rats pour les éloigner. Le chef de la meute écrabouillé, ils partent, effrayés, dans toutes les directions…

Jean-Christophe, fier de lui, vous lance un sourire.

— Ouais ! ouais ! j'avoue ! lui dit sa sœur Marjorie. Tu as réussi à nous en débarrasser, mais c'était quand même complètement dégueulasse, ton coup !

Tu te diriges avec tes amis au chapitre 58.

35

Le gros ver dégoûtant parvient à s'enrouler autour de la cheville de Marjorie, qui se met aussitôt à crier à pleins poumons. L'écho de son hurlement alerte d'autres vers, et des clapotis se font maintenant entendre de tous les tunnels… Tu as malheureusement l'impression que vous allez bientôt être complètement entourés. Tu frappes à grands coups de pied le ver qui se tortille à la jambe de ton amie. Aucune réaction : il semble immunisé contre les coups. Tu voudrais utiliser tes mains, mais il n'est absolument pas question de toucher à cette chose répugnante, même si la vie de ton amie en dépend.

Le gros ver monte lentement à la jambe de Marjorie, qui hurle sans diminuer le volume. Trois vers font leur apparition. Tu dégaines ton blogueur et tu tires. Les virus tombent dans le liquide et reviennent vers toi comme des boomerangs fous. Dans cet endroit, tu es l'ennemi et tout joue contre toi. Deux vers s'enroulent à tes jambes. Lorsque tu tombes, un troisième décide de visiter l'intérieur de ton corps par ta bouche…

FIN (horrible, et le mot est faible…)

36

Tu te mets à réfléchir… Se pourrait-il que tous ces objets n'aient jamais été perdus, mais plutôt… VOLÉS ?

C'est la seule hypothèse plausible qui expliquerait leur présence ici. Ce Johnny Catacombe ne serait qu'un vulgaire voleur ?

Tu examines les autres boîtes tout autour. Elles contiennent, elles aussi, des objets hétéroclites. Tu regardes les escaliers qui vont vers la voûte. Plusieurs monstres descendent avec des choses dans les mains. Quelques-uns ont même capturé des gens qui, traînés malgré eux, se débattent tant bien que mal. Insatisfait, cet ignoble personnage a décidé de passer à quelque chose de plus sérieux : il a décidé de kidnapper des gens…

De ta boîte provient soudain un chuchotement :

— PSITT ! tu es là ?

Tu reconnais la voix de ton amie.

— MARJORIE ! OÙ ES-TU CACHÉE ? DANS LA BOÎTE ?

— Pas si fort ! Tu vas nous faire remarquer, te répond-elle.

— Mais où es-tu ?

Allez au chapitre 70.

37

Elle est malheureusement verrouillée…

Tu agites le cadenas, mais il n'y a rien à faire. Tu gardes ton calme, car tu sais par expérience que tu réduis substantiellement tes chances de sortir de cet endroit de si tu t'énerves…

— Est-ce que vous avez vu, en arrivant ici, demandes-tu à tes amis, quelque chose qui ressemblerait à une dentition ?

Marjorie lève les yeux et se gratte le menton…

— Puisque tu le mentionnes maintenant, non ! réalise-t-elle tout à coup…

— Moi non plus ! te répond aussi Jean-Christophe.

— Alors, ce n'est pas bien compliqué, en conclus-tu. Nous ne sommes pas à l'intérieur d'un monstre gigantesque, nous nous trouvons dans la bâtisse même, qui, aussi incroyable que cela puisse paraître, est vivante…

— UN IMMEUBLE VIVANT ! EN VIE ! répète Jean-Christophe. Est-ce que c'est possible, ça ? demande-t-il ensuite en se tournant vers sa sœur.

— TOUT EST POSSIBLE ! lui répond-elle. Regarde, tu as réussi, l'autre jour, à faire le ménage de ta chambre…

Allez au chapitre 41.

Il te regarde d'une façon assez méchante...

Tu te rends au chapitre 85.

39

Tu ouvres la porte.

Tu trouves très curieux que l'un d'eux porte sur son dos tes initiales. Tu le glisses d'entre les autres et tu le déposes sur le bureau.

Il est rempli de photos d'objets. À la première page, tu reconnais l'image de ton premier tricycle, celui que tu avais perdu. Tu te le rappelles très bien, car tu étais tellement chagriné…

Tu tournes à la page suivante et tu découvres qu'il y a sur celle-là une photo d'un collier avec un coquillage, tout comme celui que t'avait rapporté ta tante Roxanne de l'un de ses voyages sur une île… Tu te rappelles l'avoir perdu, lui aussi. Qu'est-ce que tout ça signifie ?

Tu tournes encore une page et tu aperçois un ballon de basket, celui-là même que tu avais oublié au parc…

Marjorie cherche dans l'étagère et trouve, elle aussi, un grand album portant ses initiales. Elle le feuillette et découvre tout plein de choses qu'elle a perdues au fil des années depuis sa tendre enfance. Idem pour Jean-Christophe…

Tous ces objets n'ont jamais été perdus, ils ont tout simplement été volés…

Allez au chapitre 62.

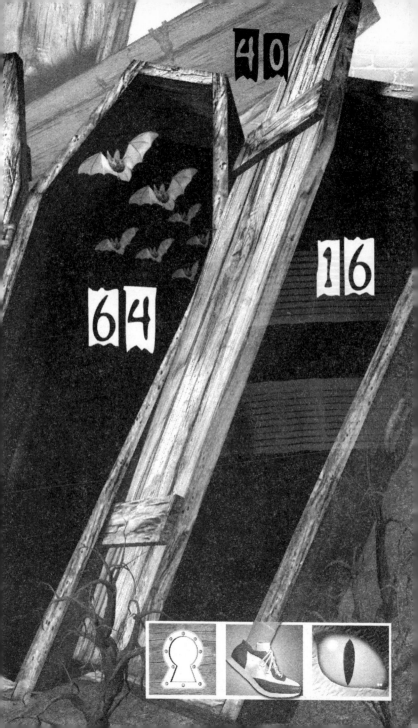

41

Vous observez le grand corridor mou, en vous demandant bien ce qu'il faut faire pour sortir de cet endroit.

— C'est la première fois que ça m'arrive ! s'étonne Marjorie, toute dépitée. Je ne sais vraiment pas comment nous allons quitter ces entrailles…

— Ne t'en fais pas, petite sœur, essaie de la réconforter son frère. Nous non plus, nous n'en avons aucune idée…

Marjorie se prend la tête entre les mains.

— MERCI ! tu m'encourages vraiment là, tu sais…

Un long et très gros ver parasite s'amène dans votre direction. Vous déguerpissez dans la direction opposée. Le gros ver se lance à votre poursuite.

Tu te croises les doigts… Est-ce que ce gros ver en mission de nettoyage va finir par vous attraper ?

Pour le savoir… TOURNE LES PAGES DU DESTIN !

S'il vous attrape, allez au chapitre 35.
Si la chance est avec vous et qu'il ne vous attrape pas, rendez-vous au chapitre 89.

42

— Pour laisser le temps aux autres d'arriver au festin, répond le mort-vivant à ton amie Marjorie…

Finalement, tu avais raison, mais tu as tout de même appris quelque chose de très important : c'est qu'il ne faut jamais faire confiance à des morts-vivants…

FIN

Tu pousses les portes battantes du musée. Tout de suite, tu es stoppé par deux gardiens de sécurité très costauds.

— BILLET, S'IL VOUS PLAÎT ! te crache l'un d'eux.

Tu regardes à droite et aperçois la billetterie. Tu t'y diriges en fouillant dans ta poche.

— C'EST COMBIEN ? demandes-tu à la dame au comptoir.

— C'est tarif réduit, aujourd'hui ! t'annonce-t-elle. C'est le jour de la fête du roi Johnny.

Tu fais une grimace chaque fois que tu entends cela…

— C'est 5 995 dollars ! te dit-elle.

— QUOI ? fais-tu, très étonné. C'est ça, votre tarif spécial ? Mais je n'ai pas ce montant sur moi.

— Alors tu ne peux pas entrer ! DÉSOLÉE !

Tu voudrais la pulvériser, mais tu te retiens. Tu te retournes vers les deux gardiens qui te surveillent toujours. Une porte de l'administration s'ouvre subitement, et un grand homme à cravate apparaît.

— C'EST UN REGRETTABLE MALENTENDU ! s'écrie-t-il en se dirigeant vers toi. Vous pouvez entrer, bien sûr ! GRATUITEMENT !

Et il te présente le tourniquet qui te conduit au chapitre 92.

44

Tu marches pendant des heures. Tu es tellement écœuré de voir des arbres autour de toi qu'ils te semblent maintenant tous pareils.

Devant toi, tu remarques deux gros cailloux… IDENTIQUES !

Deux écureuils montent simultanément sur les cailloux et font les mêmes gestes, en même temps en plus. Tu secoues la tête. Est-ce que tu vois double, maintenant ?

Tu te retournes vers tes deux amis, qui arrivent derrière toi avec qui ? Un autre toi-même…

Tu t'approches et tu commences à t'engueuler avec ton double. Mais ton autre toi-même parle en même temps que toi, et vous ne parvenez pas à communiquer. Quatre Jean-Christophe et trois autres Marjorie arrivent en gueulant eux aussi. Tu recules pour t'éloigner d'eux, mais ton dos heurte une douzaine de toi-même. Dans la forêt, des centaines de Jean-Christophe et de Marjorie apparaissent de partout. Tous hurlent très fort.

Tu te bouches les oreilles. Une armée de toi-même descend une colline et arrive vers toi en criant…

La forêt de multiplication, en as-tu déjà entendu… CRIER ?

FIN

45

— Alors ! fait-il en s'approchant de toi, tu n'as pas trouvé un endroit plus propre à squatter ? C'est fou comme ça sent mauvais ici !

— Ça sent la même chose dans ta chambre et tu ne te plains pas, lui lance Marjorie, qui arrive derrière lui.

Tu souris à tes amis.

— Tu aurais pu te cacher dans l'autre édifice fermé sur la rue Padebonsang, te dit Jean-Christophe. C'est une usine de parfum désaffectée. Là, ça doit sentir meilleur...

— J'y ai pensé, sauf que nous ne pouvons pas voir la boutique de là-bas..., lui expliques-tu.

Jean-Christophe réfléchit.

— Bon, d'accord ! dit-il tout simplement.

— Tu as pris des notes ? te demande Marjorie. Qu'est-ce que ça dit ?

Tu prends ton cahier et tu l'ouvres.

— Depuis 19 h, dix-sept clients sont entrés.

— Combien en sont ressortis ? veut savoir Jean-Christophe.

Tu prends une grande inspiration...

— Quinze ! Deux personnes ne sont toujours pas sorties de la boutique...

Allez au chapitre 81.

47

Tu remarques une porte très décorée, tout à fait à l'extrémité de la grotte. Tu t'y diriges d'un pas décidé, avec la certitude d'y trouver celui que vous cherchez…

Tu l'ouvres un peu, très lentement.

— Alors ! veut tout de suite savoir Marjorie. Il y a un monstre qui monte la garde ?

Tu lui réponds par un très discret signe de négation de la tête…

— Non ! il n'y a pas un monstre…

Tu ouvres d'un geste sec la porte toute grande…

— IL Y EN A DIX !

Dans le passage sont entassés une dizaine de monstres qui vous regardent avec hargne.

Marjorie tombe dans les bras de son frère.

— TIRE ! te hurle Jean-Christophe. MAIS QU'EST-CE QUE TU ATTENDS ? TIRE !

Tu places le blogueur et tu tires sans même viser. La salve de virus pénètre dans le passage et se met à ronger les monstres. Leurs ossements tombent sur le sol et gisent dans une épaisse glu frétillante, car les virus n'ont pas encore terminé leur festin…

Sautez tous les trois par-dessus ce ragoût infect jusqu'au chapitre 73.

48

Marjorie lève encore la lampe jusqu'au chapitre 98.

49

Tu recules et tu fais tomber tes deux amis sur le sol. Une longue patte poilue se pose sur ton torse. Tu glisses rapidement sur le dos. En reculant, ta main atterrit sur un crâne dont l'une des orbites contient encore un œil. Celui-ci te regarde. Les araignées à tête humaine s'engouffrent dans l'ouverture de la porte et arrivent vers vous.

Toujours sur le dos, tu te rends compte que tu as laissé tomber ton arme. Tu te mets à quatre pattes pour aller la chercher. Une araignée descend juste au-dessus de ta tête et pose ses longues pattes autour de toi. Tu es pris comme dans une prison. Jean-Christophe frappe le gros arachnide mutant avec une branche et parvient à te libérer. Trois araignées ont réussi à cerner Marjorie entre le corbillard et la clôture. Tu bondis et tu saisis ton blogueur…

— BAISSE-TOI ! hurles-tu à ton amie…

Tu pointes ton arme et tu tires. Vas-tu réussir à les atteindre ?

*Pour le savoir… **TOURNE LES PAGES DU DESTIN !***

Si tu réussis à les atteindre, rends-toi au chapitre 33.

Si, par contre, tu les as complètement ratés, va au chapitre 12.

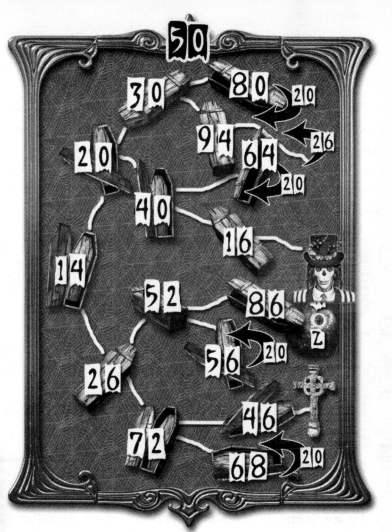

Commence l'exploration du labyrinthe au chapitre 27. N'OUBLIE PAS ! Tu peux consulter ce plan à n'importe quel moment dans ton histoire. Tu n'as qu'à te rappeler le numéro de ce chapitre...

51

Ses deux bras te saisissent, et le monstre t'emporte. Ton arme tombe sur le sol. Tu tentes de te dégager, mais rien à faire. Il t'emporte dans une interminable succession de tunnels et de passages. Il te sera impossible de te rappeler le parcours si jamais tu parviens à te libérer.

Il t'entraîne dans une très grande grotte qui semble servir d'entrepôt. Partout, des centaines d'échelles et autant d'escaliers montent vers la voûte, très haute au-dessus de ta tête. Des milliers de grosses caisses contiennent un butin hétéroclite d'objets de toutes sortes. Au loin, dans des cages, tu aperçois tous les amis de l'école emprisonnés. Leurs vêtements sont sales. Ils semblent fatigués et mal nourris.

Le monstre ouvre une cage infecte et te lance à l'intérieur. Il verrouille la porte avec un cadenas gigantesque et inatteignable. Tenter de le forcer sera impossible…

Tu hurles à pleins poumons pour te faire entendre des autres qui sont comme toi emprisonnés. Aucune réponse. Cette grotte est trop grande. Fatigué de t'époumoner, tu t'assois sur le plancher de la cage. Du coin de l'œil, tu aperçois un yoyo rouge identique à celui que tu avais lorsque tu étais plus jeune.

Rends-toi au chapitre 17.

53

Incapable de retenir ton souffle plus longtemps, tu sors la tête. Hors de l'eau, tu prends une grande inspiration. Sur ta tête, quelques fourmis se promènent dans tes cheveux. Tu voudrais replonger, mais une fourmi plutôt effrontée se met à descendre sur ton nez. Tu restes immobile, paralysé par la situation. Tu voudrais l'empêcher de pénétrer dans ton nez, mais tu en es incapable…

La bestiole se glisse dans ta narine et disparaît à l'intérieur de ta tête. Tu la sens passer derrière tes globes oculaires. Une deuxième parvient à pénétrer dans l'orifice de ton oreille gauche. Tu secoues la tête, mais il est trop tard. Une troisième et une quatrième entrent par ton oreille droite.

Ton cerveau te chatouille horriblement. Tu cours jusqu'à une clinique où un médecin incrédule te dit te prendre deux comprimés et de te reposer. Le lendemain, à l'école, pendant ton exposé oral, les élèves de ta classe sont horrifiés de voir toutes ces fourmis qui sortent de ta bouche chaque fois que tu prononces un mot…

FIN

54

— Lampe de poche, corde, calepin de notes, eau bénite, croix, pansements, etc. ! AH OUI ! j'allais oublier…

— Quoi ? lui demande son frère Jean-Christophe.

Marjorie sort de son sac un pistolet brillant muni d'un très gros canon.

— Je vous présente ma dernière création, dit-elle fièrement. MON BLOGUEUR ! C'est une arme hyper puissante. Elle projette des petits virus qui rongent la peau. Aucune créature ou aucun monstre ne peut résister.

— C'est efficace pour quelqu'un qui est à la diète ?

— IDIOT !

— Rongent la peau des créatures et des monstres ? répètes-tu, un peu dégoûté. Ça ne doit pas être très beau à regarder, ça, des virus qui rongent la peau d'un monstre…

— EFFECTIVEMENT ! te confirme-t-elle. Si jamais tu dois l'utiliser, je te conseille juste une petite chose : si tu rates ton coup, enfuis-toi dans une autre direction. Par contre, si tu réussis, regarde ailleurs. Mon blogueur est peut-être très efficace, mais le résultat est totalement dégoûtant…

— Range ton flingue débile, lui demande son frère. Et allons-y…

Au chapitre 93.

Tu appuies doucement sur la gâchette…

— STOP ! te supplie Johnny Catacombe, réalisant que les rôles viennent de changer. Avant que tu appuies sur ton arme, je voudrais comprendre pourquoi tu n'as pas été ensorcelé par la musique ? Je veux juste savoir par quel phénomène tu as été capable de réaliser un tel prodige. Qui ou quel maître t'a enseigné l'art de contrer les sortilèges noirs ?

— MON PÈRE ! lui réponds-tu en le gardant bien en joue. C'est grâce à mon père…

— Ton père ! s'étonne Johnny Catacombe. Il est un grand mage ou une sorte de sorcier ?

— Non ! c'est un ronfleur…

Johnny Catacombe ne semble pas saisir.

— C'est quoi, un ronfleur ? cherche-t-il à comprendre. C'est une nouvelle caste de sorciers aux pouvoirs impressionnants ?

— Non ! un ronfleur est une personne qui ronfle la nuit et qui empêche les autres de dormir. J'ai trouvé, dans la caisse des objets que tu m'as dérobés, des bouchons de cire que j'utilisais la nuit lorsque mon père effectuait une de ses mémorables et très bruyantes performances.

Allez au chapitre 100.

57

Tu files comme un boulet de canon vers le trou dans le mur. La créature bondit sur ses jambes et n'alerte pas les autres, car elle veut vous garder juste pour elle… QUEL FESTIN CE SERA !

Tu t'éjectes de ce dortoir infesté de monstres et tu descends une échelle. Plus bas, vous aboutissez dans la cabine de pilotage d'un curieux appareil stationné dans une grotte. L'appareil est muni d'un mécanisme de forage à l'avant. Marjorie ferme l'écoutille juste comme la créature arrive. Frustrée que vous lui ayez échappé, elle martèle à grands coups de poing la coque. Ses coups résonnent dans toute la cabine.

La clé a été laissée dans le démarreur, quelle chance ! Tu la tournes, et le gros moteur se met à vrombir. Tu pousses un levier au hasard et vous avancez vers la paroi de roche. Tu en tires un deuxième, et le mécanisme se met à creuser dans la paroi. QUELLE CHANCE !

Vous descendez des kilomètres jusqu'à un immense creux rempli de lave bouillonnante. Tu essaies d'arrêter l'appareil, mais les commandes ne répondent plus. La lave a sans doute commencé à dissoudre les différents mécanismes. Vous commencez à avoir vraiment chaud. Le plancher de l'appareil devient de plus en plus rouge.

FIN

58

Tu prends une grande inspiration et, déjà, ça va un peu
mieux. Où en étiez-vous ? Ah oui ! le corbillard. Ce
satané et très dégoûtant rat t'avait presque fait oublier ta
destination. Tu tournes ton regard vers le véhicule et tu
t'arrêtes… Tu as soudain l'impression que quelque chose
a bougé. Marjorie et Jean-Christophe s'approchent de toi.

*Tu examines le corbillard. Si tu crois que tu n'as qu'une
fausse impression et que rien n'a bougé, rends-toi alors au
chapitre 15. Si tu penses par contre qu'il y a quelque chose de
différent, va au chapitre 77.*

59

— Mais comment tu as fait pour t'échapper de t[a]
cage ? veut comprendre sa sœur. Tu étais enfermé sou[s]
clé, tout comme moi.

— Tu ne me croiras pas, lui dit Jean-Christophe. J'a[i]
retrouvé ma clé passe-partout dans la caisse. Tu sais
celle qui ouvre à peu près toutes les serrures. Elle était l[à]
avec tous mes autres effets perdus...

— Ton passe-partout ! répète alors Marjorie. Ouvre
moi tout de suite...

Jean-Christophe s'exécute aussitôt. Marjorie repren[d]
le contact avec toi par l'intermédiaire de son émetteur.

— Nous allons te secourir, t'annonce-t-elle. Où [te]
trouves-tu ?

Tu observes les alentours.

— Il y a trois escaliers identiques près d'un mur e[n]
pierre gris, lui indiques-tu. Je suis juste à côté, à droite.

De longues minutes passent, jusqu'à ce que tu ape[r]
çoives tes amis contourner des colonnes qui soutienne[nt]
la haute voûte. Rapidement, Jean-Christophe parvient [à]
ouvrir le gros cadenas. Tu sors de la cage, et vous fait[es]
très vite, tous les trois, le tour de la grotte afin de libér[er]
les autres prisonniers.

Au chapitre 10 maintenant...

60

Il y a une bonne demi-heure que vous marchez à quatre pattes, comme des animaux. Tes genoux te font horriblement souffrir, et tu as fait des trous dans ton jeans neuf. Tu appréhendes déjà la confrontation avec tes parents, eux qui ont payé vraiment cher ce jeans *TRÈS TENDANCE* que tu désirais ABSOLUMENT ! Tu les entends d'ici :

« C'est bien la dernière fois que nous t'achetons une paire de jeans de ce prix-là. Toi qui avais promis de lui porter une attention spéciale, *à la prunelle de tes yeux* ! Tu nous l'avais juré. À l'avenir, nous ne t'achèterons que les jeans à rabais, comme ceux que tu détestes tant... »

Tu es tout à coup distrait par une lumière vive, aussi vive que le soleil. Pourtant, le lever du soleil n'est prévu que dans plusieurs heures...

Une musique semblable à celle des jeux vidéo résonne soudain. SUPER ! Tu te retrouves dans une *WARP ZONE*, comme dans les jeux vidéo...

Ferme ton livre et ouvre-le au hasard. Tu es maintenant rendu à ce chapitre dans ton aventure... J'espère que tu as eu de la chance !

AH OUI ! la traversée d'une *warp zone* répare AUSSI les trous dans les vêtements... CE N'EST PAS POSSIBLE COMME TU AS DE LA CHANCE, TOI !

61

Tu agites frénétiquement tes mains sur tes vêtements e
hurlant de frayeur.

— AAAAAAAHH !

Quelques fourmis grimpent maintenant sur tes bras e
se dirigent vers ton visage. Marjorie fouette tes vêtement
avec un bout de branche pourvu de feuilles séchées. T
sens tout à coup de la douleur un peu partout sur ton corp.

— AÏE ! ELLES ME PINCENT !

Méthodiquement et avec une certaine rapidité d'exécu
tion, Jean-Christophe entreprend de les enlever les une
après les autres avec… SES DOIGTS !

Marjorie observe son frère, qui grimace lui aussi c
douleur, car les fourmis lui pincent le bout de l'index et d
pouce. Tu sens que ton dos est complètement envahi. Ave
l'énergie du désespoir, tu te mets à courir vers la fontair
de la rue principale. Des fourmis ont atteint ton cou. Tu
grattes. À deux mètres de la fontaine, tu fais un grand sa
et tu plonges dans l'eau. Presque instantanément, la dou
leur s'estompe.

Couché au fond de la fontaine, tu te pinces le nez. À
surface, tu aperçois des dizaines de fourmis qui patauge
maladroitement…

Rends-toi au chapitre 13.

62

Tu t'approches de la table pour examiner maintenant les chapeaux. Peut-être que Johnny Catacombe tire un certain pouvoir de ces attributs ridicules. Tu es très tenté d'en essayer un… MAIS LEQUEL ?

Rends-toi au chapitre inscrit sous le chapeau que tu auras choisi…

63

Tu te retournes et tu constates que tes deux amis son déjà loin dans le tunnel. Tu cours à toutes jambes derrière eux.

— ATTENDEZ-MOI !

Le faisceau de la lampe de Marjorie te guide. Sur te talons, le monstre grogne et rugit telle une bête à la pour suite de sa proie. Tu détestes ce genre de situation. Tu voudrais te retourner et faire feu de ton arme, mais tu n'aurais même pas le temps de viser que le monstre serai sur toi.

Tu aperçois les silhouettes de tes amis qui s'engouf frent dans le sol. Lorsque tu arrives à leur hauteur, tu constates qu'ils sont tombés dans une sorte de piège e que la trappe se referme sur eux. Tu sautes par-dessus e tu atterris de l'autre côté. Le monstre, également agile t'imite et arrive à un mètre de toi.

Il étend ses deux bras musclés vers toi. Tu te croise les doigts... Est-ce que ce monstre va t'attraper ?

Pour le savoir... TOURNE LES PAGES DU DESTIN !

S'il t'attrape, va au chapitre 51.

Si la chance est avec toi et que tu as réussi à t'enfui rends-toi au chapitre 25.

20

65

Tu saisis le premier et tu te mets à l'examiner. Il a l'air d'un chapeau bien ordinaire. Il est un peu poussiéreux, mais c'est tout. Il possède peut-être une quelconque propriété magique ? Il n'y a qu'une façon de le savoir. Lorsque tu essaies de le poser sur ta tête, le chapeau tombe sur le sol et toi, tu disparais dans une autre dimension, enfin, à ce qu'il te semble !

Tu tournes longtemps dans le vide, entre des étoiles et des lumières vives qui t'aveuglent. Violemment, tu arrives face première contre un sol solide. Tu voudrais crier ta douleur, mais tu préfères te taire, car tu n'as aucune idée où tu es maintenant…

Il fait très noir. Tu marches de longues minutes jusqu'à ce que ta tête percute un mur.

De la lumière filtre à tes pieds. Tu te penches et tu réussis à te glisser à l'extérieur. Il y a deux super géantes espadrilles devant toi. Tu lèves la tête…

C'EST MARJORIE !

Tu essaies de crier, mais tu es trop minuscule. Tes amis quittent le bureau. Tu tentes de les suivre, mais tu es arrêté par le gros cancrelat de tantôt qui te regarde avec appétit… Tu aurais dû l'écraser lorsque tu en avais la chance…

FIN

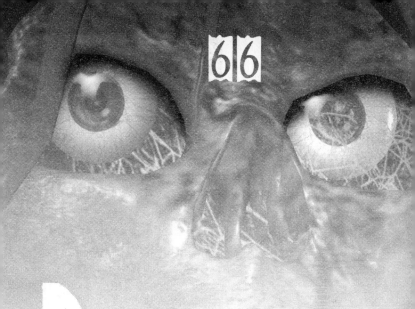

Devant votre inertie, Marjorie se décide à te passer son blogueur. Tu prends son arme discrètement et tu la places devant toi, en ne quittant pas des yeux le mort-vivant. Tu places ton index sur la gâchette. Le mort-vivant demeure lui aussi immobile. Le silence te force à réfléchir.

Devrais-tu appuyer sur la gâchette du blogueur pour en finir au plus vite avec cette créature ? Si tu crois que oui, va au chapitre 96.

Penses-tu au contraire que tu pourrais faire preuve d'un minimum de politesse, même dans ce genre de situation ? En fait, tu pourrais essayer d'engager la conversation avec ce mort revenu à la vie. Peut-être que tu apprendrais des choses importantes… Si tu penses que oui, rends-toi au chapitre 28.

67

À la sortie de la clinique, vous êtes arrêtés par une dame en fauteuil roulant.

— Pardon, madame ! s'excuse Jean-Christophe auprès d'elle. Nous sommes pressés. Cette personne, qui vient tout juste de décéder… (Caché sous le drap blanc, tu te retiens pour ne pas rire.) Oui ! cette personne tient plus que tout à être inhumée dans le vieux mausolée de l'ancien salon mortuaire de Sombreville.

— Le vieux mausolée ? répète-t-elle. Quelle drôle de coïncidence ! J'y travaillais autrefois. Saviez-vous qu'il y a un labyrinthe près de ce vieux bâtiment ? L'entrée se trouve dans un des cercueils entassés dans la cour. Pour m'y retrouver, j'avais tracé autrefois un plan que j'avais dissimulé dans une urne. Ah ! que de magnifiques souvenirs vous me rappelez ! Ce fut un grand plaisir de discuter avec vous, jeunes gens. Vous allez m'excuser, mais je dois rencontrer mon médecin dans quelques instants…

Jean-Christophe et Marjorie se regardent. Ils n'ont même pas eu le temps de prononcer un seul mot…

Tu enlèves le drap et tu débarques de la civière pour retourner à l'entrée du mausolée au chapitre 95.

68

20

69

Vous marchez longuement jusqu'à ce que vous atteigniez une construction circulaire qui semble perdue dans une forêt. Vous vous mettez à examiner attentivement l'endroit…

— Je suis certain qu'il s'agit d'un temple voué à des rituels de sacrifices, en déduit Jean-Christophe. Il y a un autel au centre, avec un liquide rouge semblable à du sang. Cet endroit est retiré de la civilisation, c'est parfait pour commettre ce genre d'horreur… Je ne peux pas croire que de telles vilenies sont encore commises de nos jours. Il faut prévenir les autorités…

Tu te mets à rire très fort.

Jean-Christophe, lui, ne trouve pas ça drôle.

— MAIS DIS-MOI POURQUOI ÇA T'AMUSE ! s'emporte-t-il. Il y a des crimes crapuleux qui sont commis ici, des gens meurent… SACRIFIÉS !

— Tu te trompes, mon cher ami, lui expliques-tu. Cet endroit n'est pas un temple, mais quelque chose de bien plus terrifiant encore…

Rends-toi au chapitre 9 pour le découvrir…

70

— J'ai oublié de te dire qu'il y avait un émetteur-récepteur sur mon blogueur, te révèle ton amie. Toi, où es-tu ? As-tu le blogueur avec toi ?

— Donne-moi quelques secondes et je te reviens...

Tu lances le yoyo dans la boîte et, par une chance incroyable, le fil s'enroule autour du manche de l'arme...

— Je n'ai rien perdu de mon adresse avec ce jouet, malgré toutes ces années, fais-tu fièrement.

— Quoi ? te demande Marjorie. Qu'est-ce que tu as dit ?

— Rien ! Attends un peu...

Tu tires l'arme vers toi et tu l'examines. Elle semble intacte et toujours fonctionnelle.

— Allô ! Marjorie ! Est-ce que tu m'entends ? Est-ce que ton frère est avec toi ?

— Oui ! il n'est pas très loin de moi, dans une autre cage. Tu ne me croiras pas, poursuit-elle dans un petit émetteur qui renvoie sa voix vers le blogueur, mais il y a une grande caisse remplie d'objets que j'ai perdus au cours de ma vie, c'est incroyable. Mon ballon de plage, ma casquette, mon premier tricycle, mon sac d'école lorsque j'étais en première année.

Rends-toi au chapitre 3.

71

Sous l'arche est cachée une autre porte toute cloutée. Tu t'y diriges d'un pas décidé. Le blogueur braqué directement devant toi, tu examines les alentours, à l'affût de la moindre créature. Des chauves-souris vampires passent au-dessus de ta tête. Elles sont très faciles à identifier, celles-là, car du sang s'écoule toujours de leur gueule. Tu essuies les quelques gouttes tombées sur ton bras… Tu pointes ton blogueur dans leur direction.

— Elles sont beaucoup trop loin, te dit Marjorie. C'est inutile.

— Il va falloir régler leur cas une fois pour toutes, promet Jean-Christophe. Ces créatures déciment des troupeaux de bovins entiers, elles sont une vraie plaie. Ce n'est pas très joli, une vache vampire…

— Si nous arrivons un jour à trouver leur repaire, lui rappelle Marjorie. L'entrée de leur grotte sur le flanc de la montagne est introuvable; nous avons tant de fois essayé…

— Peut-être que, justement, elles ne se cachent pas là-bas, leur dis-tu. Le clocher de l'église abandonnée ferait un antre parfait, et personne ne va à cet endroit depuis fort longtemps…

Tu pousses la grande porte au chapitre 22. Derrière elle, il y a…

46

68

73

Plus vous avancez et plus le passage s'assombrit. À l'extrémité, vous parvenez à une grande salle ronde. Des petits jets de lumière tournent autour de vous. Tu as déjà vu ce genre d'éclairage. Tu lèves la tête au plafond. Tu avais bien raison, une boule en miroir tourne au-dessus de vos têtes…

Marjorie lève les épaules :

— C'est quoi, cet endroit ?

— Une salle de danse, je crois ! lui réponds-tu sur un ton teinté de doute…

Une musique plutôt macabre résonne soudain. Tu te mets à danser malgré toi…

— HÉ ! HOLÀ ! s'écrie Marjorie. Je suis incapable de m'arrêter…

Jean-Christophe danse lui aussi.

Un rire cruel et ténébreux se fait soudain entendre au milieu des notes. Tu te doutes bien de qui il s'agit. Tu tentes de prendre le blogueur accroché à ta ceinture, mais ce n'est pas toi qui contrôles tes muscles.

Une grande silhouette apparaît de derrière deux portes coulissantes…

… au chapitre 38.

74

Tu saisis la troisième urne et tu tentes de la soulever. IMPOSSIBLE ! Elle semble fixée au meuble avec une super colle. Avec tes amis, vous conjuguez vos forces et vous parvenez à la faire pivoter. Tu t'écartes et constates avec horreur que vous venez d'actionner un mécanisme.

Un grand bras mécanique descend vers toi et te saisit la tête. Tu tentes de te dégager, mais tu es soulevé au-dessus d'une trappe qui vient de s'ouvrir dans le plancher. La tête comme dans un étau, tu es descendu un étage plus bas. Tes amis hurlent :

— NE BOUGE PAS ! NOUS ARRIVONS !

— Mais comment, « ne bouge pas ! », gémis-tu, la tête entourée de métal. Si je pouvais bouger, je ne serais pas dans ce pétrin...

Autour de toi, tu aperçois une vieille machinerie qui servait à introduire les cendres des défunts dans les urnes...

— MAIS ! remarques-tu tout de suite, cette machine démoniaque va me mettre dans une urne ! Il n'y a pas assez de place dans ce minuscule vase en céramique pour moi...

Jean-Christophe et Marjorie arrivent en bas quelques minutes trop tard... Sur un convoyeur, huit vases portant ton nom défilent devant eux...

FIN

75

Tu avances vers le mausolée. Tu sais, par expérience, que cette petite construction en piètre état abrite sans doute encore quelques urnes oubliées remplies des cendres de défunts abandonnés. Tu n'as donc pas, cette fois-ci, à t'inquiéter des squelettes qui sortent de leur cercueil et qui reviennent à la vie, mais plutôt des âmes errantes en quête de vengeance…

Les murs sont lézardés et menacent de s'écrouler. Par la double porte à demi ouverte, tu entrevois des tablettes tombées et des vases renversés. Tu pousses un peu la porte afin d'entrer. Elle craque, se brise et quitte ses gonds. À deux mains, tu essaies de la tenir devant toi pour qu'elle ne te tombe pas dessus. Le bois est froid et mou. Tu sens quelque chose frétiller sous les couches de peinture qui s'écaillent. Toute pourrie, la porte est infestée de fourmis. Tu pivotes et tu la laisses tomber sur le sol, entre tes amis qui s'écartent au dernier moment…

— MAIS QU'EST-CE QUE TU FAIS ? s'emporte Marjorie, rouge de colère. Tu as failli nous écrabouiller !

— Je suis désolé ! La porte est pleine de fourmis, et je les sentais bouger, c'était dégoûtant…

Jean-Christophe aperçoit plusieurs de ces insectes qui se promènent sur ton chandail.

Va vite au chapitre 61.

76

Les personnes qui avaient besoin de soins s'étendaient sur une table, et l'homme en question utilisait quelques techniques très rudimentaires pour apaiser leurs douleurs musculaires. Souvent, on pouvait entendre craquer leurs os.

Les jeunes enfants entendaient les bruits macabres des os qui craquaient et les plaintes de leurs parents. Chaque fois que le traitement commençait, ils se cachaient et se bouchaient les oreilles.

À la longue, c'était devenu un automatisme. Lorsqu'un de ces hommes pénétrait dans une demeure, les enfants partaient se cacher, car ils ne voulaient pas subir, eux aussi, ce douloureux supplice. Bien entendu, ils ne comprenaient pas vraiment ce qui se passait.

Ces hommes étaient des *bone setters*, ce qui veut dire en français « ceux qui replacent les os ». L'appellation de *bone setter* passa phonétiquement au français et devint tout simplement « Bonhomme Sept Heures ». C'était une bien drôle de coïncidence, car ces *bone setters* pratiquaient autour de cette heure-là, dans la soirée…

Tu connais la vraie histoire ! Maintenant, va retrouver le plan du labyrinthe au chapitre 50…

77

Ton grand sens de l'observation vient peut-être de vous sauver d'un tas de problèmes, car une main décharnée pendait, inerte, de la portière ouverte du corbillard. Tu pointes le doigt en direction du membre répugnant. Marjorie et Jean-Christophe te font tous les deux un signe de la tête. Ils l'ont aperçu eux aussi.

Tu avances tout de même vers le corbillard. Tu étires le cou pour regarder dans l'ouverture. Il fait trop noir pour voir quoi que ce soit. Du bout des doigts, tu tires sur la portière; la main s'agite.

— Est-ce que vous allez bien, monsieur ? demandes-tu pour montrer que tu ne cherches pas la bagarre, mais plutôt que tu veux offrir ton aide.

À l'intérieur du corbillard, une forme tressaille et bouge.

La main s'agrippe à la portière. Tu recules en poussant tes amis derrière toi. Une autre main attrape la carrosserie rouillée. Lentement, le corps sombre s'extirpe de la voiture. Vous attendez tous les trois comme des imbéciles, sans bouger. La tête aux longs cheveux sales, penchée sur le torse, roule de gauche à droite et se lève pour vous regarder…

Allez au chapitre 66.

78

Tu prends le deuxième chapeau et tu le portes tout de suite à ta tête. Tu ne remarques tout d'abord aucun changement s'opérer en toi. Quelques secondes passent et tu te sens soudain très étrange. Tu as comme le goût de traverser ce mur devant toi…

Tu lèves les épaules et tu t'y diriges. Tu passes tout d'abord le bout des doigts. Bon, ça chatouille un peu, mais tes doigts traversent le mur, comme s'il n'existait pas…

— WOW ! ce chapeau m'a transformé en fantôme.

Tes deux amis te sourient, car ça semble beaucoup t'amuser.

— S'AMUSER ! OUI ! décides-tu. C'est ce que nous allons faire.

Tu te rends chez toi, question d'effrayer tes parents et de rigoler un peu. Arrivé devant ta maison, tu fonces vers le mur qui donne sur leur chambre. C'est parfait ! Ils dorment tous les deux. Tu te mets à pousser des cris lugubres. Ton père s'assoit carrément dans son lit, le visage tout en grimace. Ta mère, elle, semble étrangement moins effrayée. Elle se lève et se dirige vers la cuisine. Elle revient en bâillant et vaporise sur toi un produit qui te fait disparaître instantanément, comme le dit l'étiquette sur le vaporisateur : *Vous débarrasse des revenants… INSTANTANÉMENT !*

FIN

79

Tu avances avec ton blogueur pointé sur lui. Johnny Catacombe te sourit. Il a l'air plutôt sûr de lui. La présence de ton arme ne semble pas l'intimider. Tu te demandes bien pourquoi. Lorsque tu soulèves le blogueur pour le viser, une main osseuse attrape ton arme et te l'arrache des mains. Tu voudrais bien la reprendre, mais le squelette la pointe maintenant sous ton menton. Tu te retournes vers Johnny Catacombe. Il se lève sans dire un seul mot et avance vers toi. Ses yeux sont cachés par son chapeau haut-de-forme. Il lève la tête vers toi. Un sourire machiavélique décore son visage.

— C'est moi que tu cherchais ? te dit-il d'une voix éteinte et presque morte… Eh bien, tu m'as trouvé. Qu'est-ce que tu vas faire maintenant, seul et désarmé ?

— OÙ SONT MES AMIS ? lui intimes-tu de te dire.

— Si j'étais à ta place, je me soucierais plus de mon propre sort, te conseille-t-il en guise de réponse.

Il penche la tête vers toi. Un grand serpent venimeux glisse et se tortille dans les obturations de son grand chapeau. Le serpent ouvre sa mâchoire. Ses crocs affûtés s'enfoncent dans la peau de ton cou. Tout devient noir, très noir…

FIN

81

Jean-Christophe étire le cou vers la fenêtre.

— Est-ce que le commerce est fermé ? voulait-il savoir.

— Ça fait quinze minutes ! L'enseigne s'est éteinte il y a un bon quart d'heure, lui réponds-tu.

— Je m'en doutais. Maintenant la preuve est faite ! s'exclame Marjorie. Les jeunes de l'école ont commencé à disparaître lorsque cette boutique a ouvert ses portes, lundi. J'avais raison ! J'ai toujours raison ! Ça fait neuf disparitions en tout !

— Tu veux une médaille, peut-être ? lui lance son frère.

— Oui et pas en chocolat ! Une vraie !

— ARRÊTEZ ! leur intimes-tu, fatigué par une autre de leurs petites querelles sans importance. Qu'est-ce qu'on fait, maintenant ? Nous allons voir les policiers ?

— JAMAIS ! te dit Marjorie. Tu connais leur discrétion. Ils vont arriver en trombe comme des chiens dans un jeu de quilles. Après, il n'y aura pas moyen de savoir ce qui s'est passé.

— Marjorie a raison, renchérit Jean-Christophe. C'est trop risqué ! Si nous voulons trouver toutes les personnes disparues, il faut agir avec circonspection.

Rendez-vous au chapitre 21.

82

Tu poses sur ta tête le troisième chapeau. Autour de toi, tout disparaît subitement. Il n'y a plus que de vastes étendues désertiques piquées de carcasses d'immeubles. Énervé, tu le soulèves, et tout disparaît. Tu es revenu où tu étais, et tes deux amis te regardent.

— Et puis ? te demande Marjorie. Tu as disparu quelques secondes, et puis tu as réapparu. Où as-tu été transporté ?

Tu réfléchis quelques secondes et tu remets le chapeau. Les étendues réapparaissent. Tu examines le paysage et tu en déduis que lorsque tu portes ce chapeau, tu es transporté dans l'avenir.

Tu enlèves encore le chapeau…

Tes amis sont, une fois de plus, éberlués de te voir te matérialiser devant eux.

— NE BOUGEZ PAS ! leur demandes-tu avec une idée derrière la tête. Je reviens dans quelques minutes…

Tu déposes encore une fois le chapeau sur ta tête…

… et tu quittes les lieux en direction du chapitre 97.

83

Tu te diriges vers la trappe qui semble donner accès à une cave. Le loquet, traversé par un gros cadenas, est très rouillé. Lorsque tu le soulèves, il se brise en plusieurs morceaux et te reste dans la main. Tu le lances au loin et tu soulèves un peu la première porte. De la lumière filtre au bout d'un escalier en métal, lui aussi très rouillé, et donc pas en très bonne condition.

Tu hésites à y poser un pied, et avec raison. Tu saisis un bâton et tu testes la première marche…

TOC ! TOC !

BON ! Celle-là, ça va ! Tu y poses le pied. Tu vérifies chacune d'elles au fur et à mesure que tu descends au sous-sol. Là, tu donnes le signal à tes amis de descendre, eux qui attendaient, peinards, ton ordre.

Vous avancez tous les trois dans la noirceur. Tu te rappelles soudain avoir aperçu de la lumière plus tôt, alors pourquoi fait-il noir maintenant ? Jean-Christophe allume sa lampe et, autour de vous, vous découvrez des silhouettes poilues étendues sur le sol boueux.

Marchez jusqu'au chapitre 90.

Tu pointes ton arme sous le menton du valet…

— LE ROI JOHNNY ! lui répètes-tu. Comment cela se fait-il que cet être ignoble soit devenu un monarque ? Parle, sinon je fais laver tes os de toute ta chair…

Le valet conserve toujours le même air, malgré ta menace.

— Mon maître est le plus grand collectionneur que la terre ait porté. Il a commencé par voler des petites choses insignifiantes, telles vos babioles d'enfants. Ensuite, il a dépouillé toutes les familles en s'appropriant leur fortune. Enfin, il les a TOUTES kidnappés. Il a pu ouvrir le plus grand de tous les musées du monde pour étaler sa collection. La colère fait tourner ton visage au rouge…

Si cela vous intéresse, te propose le valet, vous pouvez visiter le musée, qui est tout près d'ici, derrière le château. C'est la plus grande attraction que vous verrez de votre vie, je vous l'assure.

Tu recules en tenant toujours le valet en joue…

— Vous allez transmettre ce message à votre maître, lui demandes-tu avant de t'éclipser. Dites-lui que je vais libérer tout le monde et que je reviendrai ensuite. Il pourra commencer une toute nouvelle collection… UNE COLLECTION DE COUPS DE PIED DANS LE DERRIÈRE !

Tu pars en courant vers le chapitre 43.

Johnny Catacombe s'approche de Marjorie. La peur peut se lire sur le visage de ton amie. Jean-Christophe et toi, toujours sous l'emprise d'un obscur sortilège, évoluez sur la piste de danse. Tu as beau te concentrer, il n'y a rien à faire, tu es comme obligé de suivre la musique.

Johnny Catacombe saisit les mains de Marjorie et se met à danser avec elle. Ton amie tente de résister, mais elle est, elle aussi, envoûtée tout comme vous…

LA MUSIQUE ! réalises-tu soudain. La musique est la source de ce sortilège. Tu attends patiemment que la musique s'arrête quelques secondes. Là, avant que l'autre pièce recommence, tu mets ton plan à exécution…

Les index dans les trous de tes oreilles, tu avances vers Johnny Catacombe. Johnny réalise que tu as trouvé la façon de te soustraire à son sortilège. Il se met à rire à gorge déployée en te voyant dans cette position…

— BRAVO ! te félicite-t-il, mais qu'est-ce que tu vas faire maintenant ? Si tu enlèves un seul doigt, tu seras de nouveau envoûté. Tu ne peux rien faire contre moi dans cette position ridicule.

Il se met encore à rire très fort…

Il a malheureusement raison ! Va au chapitre 23.

87

Tous les trois face aux urnes, vous attendez que l'un de vous se porte volontaire. Après une minute de silence, Jean-Christophe se met à siffler et à regarder le plafond, tandis que sa sœur Marjorie fait semblant d'attacher le lacet de son espadrille…

— BON ! j'ai compris ! t'exclames-tu devant leur peu d'enthousiasme et de collaboration…

Rends-toi au chapitre inscrit sous l'urne que tu auras choisie…

88

Vous enjambez la porte arrachée de la clôture et vous entrez tous les trois dans la cour. Le véhicule sombre aux courbes macabres se dresse devant vous comme un gros monstre endormi. Tu te secoues pour cacher ta peur à tes amis.

Avancez au chapitre 34.

89

Vous tombez tous les trois dans un étroit boyau gluant. Comme dans la plus effroyable attraction d'un parc, la peur prend le dessus sur toi, et tu contractes tous tes muscles…

Tu fermes les yeux en apercevant le bout de ce tunnel diabolique. L'impact promet d'être violent. Tu fermes les yeux…

BLOUB ! et non pas **BANG !**

Ce gros truc mou et collant sur lequel tu as atterri a stoppé ta chute d'une façon très douce. Autour de toi se dressent de grosses dents blanches. Tu te retrouves enfin dans cette fameuse bouche immense.

Malgré ton malheur, tu souris à la vue de Marjorie qui arrive tête première derrière toi. Son visage s'aplatit sur la grosse langue.

SPLOUCH !

Plus chanceux que sa sœur, Jean-Christophe arrive les pieds en premier…

Vous appuyez tous les trois vos mains sur le palais de la bouche et vous la forcez à s'ouvrir pour ainsi retourner…

… *au chapitre 4.*

90

Il ne s'agit ni de chiens ni de terrifiants loups-garous. C'est quelque chose d'autre. Ces bêtes endormies proviennent soit d'une autre planète, soit du fin fond de la Terre. Tu n'as jamais vu ce genre de créature. C'est un croisement entre un gorille et un poisson, très difficile à imaginer. Elle n'est répertoriée dans aucun livre ou encyclopédie de monstres. Malgré ta peur, leur présence ici ne fait qu'attiser ta curiosité. Que peut bien manigancer ce Johnny Catacombe ?

Vous marchez tous les trois entre les corps avec mille précautions. La bouche terrifiante de l'une des créatures est ouverte, et tu peux l'entendre ronfler. Ce bruit qui, d'habitude, te fatigue énormément te réconforte un peu, compte tenu de la situation. Pendant que tu jettes un coup d'œil à son visage, tu aperçois sa langue gluante qui lentement sort de sa bouche. Au bout de sa langue, il y a… UN ŒIL ! Tu te croises les doigts et tu avances vers une ouverture creusée à grands coups de griffes dans le mur… Est-ce que cette créature va vous apercevoir avant que vous quittiez la place ?

Pour le savoir… TOURNE LES PAGES DU DESTIN !

Si elle vous a vus, allez au chapitre 57.

Si la chance est avec vous et qu'elle ne vous a pas aperçus, rendez-vous au chapitre 99.

91

Le jet de petits virus projeté par ton blogueur arrive de plein fouet sur l'araignée, qui se tord immédiatement de douleur. Ses longs poils noirs volent dans toutes les directions, et les virus affamés consomment chaque parcelle du gros arachnide sans laisser une seule miette. Tu baisses ton arme, fier de posséder un engin si puissant et si destructeur. Tu glisses enfin la tête à l'intérieur du véhicule. Rien d'autre qu'un cercueil fermé, à l'arrière.

— Une autre surprise, tu crois ? te demande Marjorie. Il y a un autre cadavre caché là-dedans ?

Tu lèves les épaules en signe d'ignorance…

Tu contournes le corbillard et tu te rends devant la porte du coffre. Tu saisis la poignée et tu l'ouvres, déterminé à savoir. Tu braques ton blogueur vers le cercueil et tu fais signe à Jean-Christophe de l'ouvrir. Ton ami avance et ouvre le couvercle de la grande boîte morbide. Marjorie ferme les yeux… Tu pointes ton arme à l'intérieur. Aucun bruit ! Rien ! Tu étires le cou… Tu es tout étonné de constater qu'il y a un escalier caché à l'intérieur. Marjorie a toujours les yeux fermés. Tu t'approches lentement d'elle et tu colles, à seulement quelques centimètres de son nez… TON VISAGE TOUT GRIMAÇANT !

Allez au chapitre 31.

92

Les premières salles contiennent des centaines de vitrines, derrière lesquelles se trouvent des personnes avec des tas d'objets. En t'apercevant, elles se mettent toutes à crier et à frapper sur la vitre qui, malheureusement, est incassable.

Tu essaies de lire sur leurs lèvres :

— PARTEZ ! ALLEZ-VOUS-EN TOUT DE SUITE ! finis-tu par saisir…

Deux grandes portes s'ouvrent avec fracas et une troupe de gardiens vient vers toi. Tu voudrais les pulvériser avec ton blogueur, mais tu l'as oublié sur le comptoir de la billetterie.

De force, ils te traînent jusqu'à une vitrine qui porte ton nom. Ils t'obligent à pénétrer dans le petit espace et referment la porte derrière toi. Emprisonné comme les autres, tu n'as plus le choix… TU ENLÈVES LE CHAPEAU !

Rien ne se passe et tu restes toujours dans l'avenir. Johnny Catacombe s'amène devant ta vitrine. Il lève la tête et te sourit. Ses employés se regroupent autour de lui pour le féliciter d'avoir maintenant… LA COLLECTION COMPLÈTE DE SOMBREVILLE !

FIN

93

Dans l'entrée de la ruelle, trois chats perchés sur le toit d'un garage se lamentent. Tu les écoutes. Des frissons te parcourent l'échine, car leurs miaulements ressemblent à des plaintes de jeunes enfants. Il y a quelque chose de pas très naturel dans le secteur. Marjorie grimace elle aussi de frayeur.

Jean-Christophe, lui, joue les braves et avance sans se laisser intimider par l'ambiance. La lumière d'un lampadaire scintille et lance des éclairs réguliers, comme le stroboscope d'une discothèque. Tu voudrais déconner un peu et te mettre à danser pour détendre l'atmosphère, mais tu as trop peur.

D'une poubelle renversée sort un rat tout crotté. Tu prends une grande inspiration. Cette enquête vient à peine de débuter et tu sens déjà un grand climat d'horreur qui, lugubrement, s'installe autour de toi.

Vous comptez les bâtisses afin de vous retrouver directement derrière celle abritant la boutique. Tu découvres assez vite que c'est complètement inutile, car un décor des plus morbides vous accueille…

… au chapitre 19.

26

95

Devant le mausolée…

— Vous avez entendu ce qu'a dit la vieille ? vous rappelle Marjorie. Il y a un labyrinthe. Je crois que nous devrions l'explorer. Ces labyrinthes cachent toujours des indices importants, et vous le savez.

Tu réfléchis quelques instants…

— Nous pouvons y aller tout de suite, si tu le désires, réponds-tu à ton amie. Ou nous pouvons tenter de trouver le plan d'abord. Ce serait ensuite très simple de l'explorer, ce labyrinthe, avec ces indications.

— Peut-être, t'accorde Marjorie, mais ces plans ne sont jamais faciles à trouver. Rappelle-toi, c'est chaque fois très risqué et dangereux. Il se passe toujours quelque chose lorsque nous essayons de trouver un plan…

Si tu veux tenter de trouver le plan caché dans une urne, entre à l'intérieur du mausolée au chapitre 29.

Si tu crois posséder suffisamment de perspicacité pour t'attaquer sans plan au labyrinthe, rends-toi aux cercueils entassés au chapitre 27.

Devant vous, le corps du mort-vivant se met à vibrer. Tu fais un pas de recul, cherchant à comprendre ce qui se passe.

— Ce mort-vivant est en train de se transformer ! vous dit Jean-Christophe.

La curiosité te pousse à retenir ton index sur la gâchette. Sous tes yeux ébahis, le cadavre mue. Ses deux bras et sa tête tombent sur le sol. Marjorie, répugnée et terrorisée, se cache derrière toi. Jean-Christophe observe lui aussi, muet, la métamorphose du cadavre.

Huit longues pattes poilues et raides poussent comme des branches au tronc du cadavre. Des mandibules mortelles sortent du corps, et de longs poils poussent partout. L'araignée gigantesque se dresse sur ses pattes et s'élève au-dessus de vous. Ses intentions sont très claires pour toi : elle va passer à l'attaque…

Sans attendre, tu pointes ton arme et tu tires. Vas-tu réussir à l'atteindre avec ton blogueur ?

Pour le savoir… TOURNE LES PAGES DU DESTIN !

Si tu réussis à l'atteindre, rends-toi au chapitre 91.
Si par contre tu l'as ratée, va au chapitre 5.

97

Tu dégaines ton blogueur et tu te diriges vers la seule construction qui est en parfaite condition… UN LUXUEUX CHÂTEAU !

Tu traverses une série de jardins luxuriants pour te rendre à une magnifique porte dorée entourée de deux colonnes de marbre rose. Tu soulèves le heurtoir et tu t'annonces. Derrière la porte, tu entends marcher. Tu places ton arme devant toi…

— Peu importe de qui il s'agit, te dis-tu, le cœur battant d'excitation, je le pulvérise…

La porte s'ouvre, et un vieil homme tout de noir vêtu t'accueille. Il est sans doute le valet de cette magnifique demeure…

— Qui dois-je annoncer ? te demande-t-il d'un air plutôt hautain, en feignant de ne pas avoir remarqué ton arme.

— Annoncer à qui ? lui demandes-tu en cachant ton blogueur derrière ton dos. Qui habite ce château ?

Le valet retient un sourire…

— Le roi, bien entendu ! te répond-il, étonné. Le roi Johnny…

Tu te diriges vers le chapitre 84.

Vous reculez tous les trois jusqu'au chapitre 63.

99

Elle ne vous a pas aperçus ! Caché derrière un baril, tu observes la langue dégoûtante qui revient à l'intérieur de la bouche de la créature comme une bête dans sa tanière. Tu marches à reculons jusqu'à l'ouverture dans le mur. Tes amis t'imitent et parviennent eux aussi à s'éclipser discrètement. Tu pousses un long soupir de satisfaction… Vous parcourez une succession de longs et très bizarres corridors ronds et mous. Tu t'arrêtes pour les examiner.

— Dis-moi que je me trompe ! espère Marjorie tout près de toi. Est-ce que ces corridors sont malheureusement ce que je crois qu'ils sont ?

Tu fais oui de la tête…

— Ce sont les entrailles d'un monstre gigantesque, lui réponds-tu.

Tu aurais bien aimé lui dire qu'elle se trompait, mais hélas. Vous parvenez à atteindre une grosse porte molle pourvue d'un très curieux cadenas fait d'os et de cartilage. Tu te croises les doigts…

Est-elle verrouillée ?

Pour le savoir… TOURNE LES PAGES DU DESTIN !

Si cette porte étrange est déverrouillée, sortez de cet endroit par le chapitre 4.

Si par malheur elle est bien verrouillée, rendez-vous au chapitre 37.

100

Johnny Catacombe fulmine de s'être fait prendre bête-ment de la sorte. Il saute vers Marjorie pour coller ses lèvres sur son front, afin de la transformer en statue pour l'éternité.

Vif comme l'éclair, tu appuies sur la gâchette du blo-gueur. Marjorie se laisse choir sur le sol. Une pluie de virus s'abat sur Johnny Catacombe et le consume. Ses hurlements alertent ses monstres, qui accourent. Tu tires dans toutes les directions. Des virus volent partout. Au centre de la salle, un amas infect d'ossements et de glu fume. Johnny Catacombe n'est plus qu'un tas dégouli-nant. Vous courez vers le grand escalier qui conduit à la surface. Des dizaines de monstres vous poursuivent. Tu tires derrière toi jusqu'à ce que ton arme soit complète-ment vide de munitions. L'escalier se met à tanguer et s'écroule juste comme vous parvenez à la surface. Des mains fortes vous extirpent des profondeurs. De la fumée et de la poussière jaillissent en colonne du trou.

Des dizaines de personnes vous entourent. Tout le monde a été sauvé. Tous ceux qui avaient disparu s'en sont sortis indemnes. Essoufflé, tu leur souris.

FÉLICITATIONS !
Tu as réussi à terminer…
Johnny Catacombe.

L'auteur
RICHARD PETIT
t'ouvre son

COFFRE AUX TRÉSORS...

Qui ne possède pas d'objets rares et mystérieux ? Des choses que l'on chérit précieusement et que l'on cache dans de vieilles boîtes dissimulées au fond d'un placard ou sous une planche dans la remise de notre père.

Moi, j'ai décidé de t'ouvrir mon coffre aux trésors et de te montrer les photos qu'il contient. Je dois cependant te prévenir : certains de ces objets pourraient t'effrayer et t'empêcher de dormir pendant quelques nuits…

LE COFFRE

Il faut commencer par le début : le coffre lui-même. Bon ! peut-être que tu as déjà vu ce genre de coffre chez ta grand-mère ou chez un oncle collectionneur. Moi, je trouve qu'il est très vieux, mon coffre. Si tu veux un point de référence pour trouver ton coffre à toi, voilà un conseil : il faut que tu en trouves un qui est plus vieux que toi. En fait, ça s'applique à pas mal tout, c'est-à-dire au coffre ainsi qu'aux objets que tu vas mettre dedans...

Ce coffre servait autrefois à ranger les vêtements pour de longues périodes, des mois et souvent des années. À l'intérieur, tu peux encore y déceler une odeur de boule à mites, ces petites boules blanches qui servaient à protéger les vêtements des larves des mites (petits papillons), qui rongeaient les étoffes et les tissus.

Ce coffre est un vrai coffre aux trésors. Pourquoi ? Parce qu'il possède un double fond. C'est là qu'est caché mon trésor. Dans le coffre lui-même, tu ne retrouves que des vieux t-shirts de mes camps d'été, des vieux cahiers d'école et des bulletins dont je ne suis pas très fier, il faut dire…

LE CADENAS

Le cadenas est une vraie antiquité. Je crois qu'il a plus de cent ans, et il fonctionne encore très bien. Je l'ai acheté à Salem. Tu connais cette ville des États-Unis où, en 1692, il y eut une vraie chasse aux sorcières ? Enfin, plusieurs femmes ont été emprisonnées et pendues pour sorcellerie à cette époque.

Moi, j'ai visité cette ville, tu ne me croiras pas… LE JOUR DE L'HALLOWEEN ! Tu n'as jamais vraiment couru l'Halloween si tu n'es jamais allé à Salem un 31 octobre…

Même les maisons qui ne sont pas décorées avec des citrouilles ont un air lugubre. C'est tout un spectacle. Il y a même des acteurs qui sont engagés pour errer comme des zombies dans les vieux cimetières de la ville… Je te conseille de t'y rendre un de ces soirs, mais pas tout seul…

MON TRÉSOR

Un collier de momie

Ce collier en céramique peut sembler pour toi bien ordinaire, mais il est très spécial. Il a été porté par… UNE MOMIE ÉGYPTIENNE ! OUI ! vieille de 5 000 ans. Il a été retrouvé avec la momie dans son sarcophage. Il vaut une fortune…

UNE USHABTIS

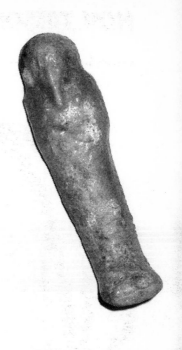

Cette petite statuette égyptienne est une Ushabtis. Elle représente un serviteur. Autrefois, les serviteurs des pharaons étaient emprisonnés avec le monarque afin de le servir dans l'au-delà. Cette tradition a été remplacée par une autre moins cruelle et moins barbare, qui consistait à placer dans la pyramide des statuettes représentant les différents serviteurs et femmes du pharaon. Cette petite statuette en céramique turquoise a plus de 3 000 ans…

ÉPINGLETTES PASSEPEUR

Pour les collectionneurs, ces deux épinglettes dorées sont les objets LES PLUS RARES de toute la série Passepeur. Elles valent chacune près de dix fois le prix d'un livre. Si tu désires connaître la valeur de tes livres ou de tout autre objet de la collection Passepeur, procure-toi le livre Passepeur n° 24, *Les cadeaux du père Cruel*. Tu y trouveras l'évaluation de tous les articles de ta collection préférée…

LES FABLES DE LA FONTAINE

Qui ne connaît pas les fables de Jean de La Fontaine ? Lors de mon dernier voyage à Paris, j'ai trouvé chez un bouquiniste une très vieille édition qui date de 1787. À cette époque, Louis XVI est toujours roi de France. Le livre a été imprimé deux ans avant la prise de la Bastille et le début officiel de la Révolution française.

Il porte cette note au roi.

MONSEIGNEUR,

S'IL y a quelque chose d'ingénieux dans la ré-
publique des lettres, on peut dire que c'est la ma-
nière dont Ésope a débité sa morale. Il seroit vé-
ritablement à souhaiter que d'autres mains que les

(1) Fils unique de Louis XIV.

A iij

T'arrive-t-il d'inscrire ton nom à l'intérieur de tes livres ? Celui-ci porte encore le texte d'un de ses très anciens propriétaires. Il est écrit à la plume :

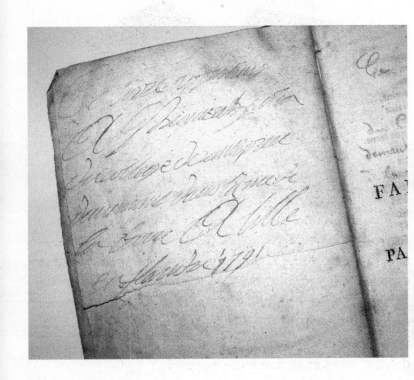

Ce livre appartient à Gréguière… ? du collège de… ? demeurant dans la rue de la Barre à Lille, Flandre, 1791. Si tu connais bien l'histoire de la France, 1791 est la dernière année complète de règne du dernier roi…

WOW !

UN JEU VIDÉO SUPER RARE

Ce jeu vidéo, auquel tu as probablement joué toi aussi, se nomme Tetris. Il s'agit d'un jeu dans lequel des pièces de couleurs et de formes différentes descendent à l'écran. Tu dois insérer les formes et compléter des lignes. Le but du jeu est de former le plus de lignes possible. Les lignes incomplètes s'accumulent tandis que les lignes pleines disparaissent et te donnent des points.

Lorsque le jeu Tetris est sorti sur le marché pour la petite console Nintendo en 1988, il était fabriqué par la compagnie Tengen. Ce jeu était identique à celui que l'on retrouvait dans les arcades. Tengen cependant n'était pas autorisé par Nintendo à fabriquer des jeux pour sa console et, à la suite d'une bataille devant les tribunaux, Nintendo a réussi à s'approprier les droits exclusifs, et Tengen a dû retirer du marché son jeu Tetris.

Quelques mois plus tard est arrivée, sur les tablettes des magasins de jouets, la version Nintendo du jeu Tetris. Celle-ci était beaucoup moins belle et moins amusante. Les amateurs se sont mis à chercher et à payer très cher la version que Tengen avait fabriquée. Encore aujourd'hui, les collectionneurs la recherchent et l'achètent à prix fort. J'ai acheté cette version lorsqu'elle est sortie en 1987; tu n'étais peut-être même pas né…

UNE DRACHME D'ALEXANDRE LE GRAND

Lorsque j'étais très jeune, j'aimais m'amuser avec mes frères et mes amis dans une vieille demeure à demi brûlée et abandonnée depuis des années. Un jour, mon frère Gilles trouva, sous une épaisse couche de débris de toutes sortes, une vieille pièce de dix cents de l'année 1936. Cette trouvaille inattendue lança le début d'une grande chasse aux trésors.

En quelques heures, nous avions trouvé des centaines

de pièces, dont beaucoup provenaient de plusieurs pays. Cependant, la plupart d'entre elles ne valaient presque rien, je le savais bien. La perspective d'amasser un trésor s'amenuisait avec les pièces sans valeur qui s'accumulaient dans notre boîte en bois, jusqu'à ce que je fasse une très grande trouvaille : une pièce en argent frappée à la main. J'étais fou d'histoire et je savais que ma pièce était très vieille, car il y avait plus de mille ans que la monnaie était fabriquée mécaniquement, et ce, dans tous les pays…

À la bibliothèque du village, nous nous sommes mis à fouiller les livres d'histoire. Nous avons finalement découvert que ma pièce était en fait une drachme d'argent de la période d'Alexandre le Grand qui datait de plus de deux mille ans. Aujourd'hui, sur le site Internet d'encan eBay, ces pièces se détaillent autour de 500 euros (645 dollars américains). Un vrai trésor, quoi…

1978

Cette année-là, j'achète ma première voiture, une Ford Thunderbird toute neuve. J'ai toutes les options, même un lecteur de cassettes huit pistes. Ce format de cassettes de musique n'existe plus. Je suis pas mal certain que tu n'as pas connu ça. Parles-en à tes parents ou à tes grands-parents…

J'achète la première cassette huit pistes de mon groupe de musiciens préféré : *Help* (Au secours) des Beatles… Elle a autour de trente ans, si tu fais le calcul. Une autre chose qui est plus vieille que toi… Je ne donnerais jamais cet objet à personne…

GODZILLA

Moi, j'ai toujours aimé les modèles réduits à coller. J'en ai construit des centaines. Je n'ai malheureusement plus aucun de ces jouets qui hantaient ma chambre lorsque je demeurais chez mes parents. Il n'y a pas si longtemps, je suis tombé sur une boîte scellée contenant toutes les pièces de Godzilla, le monstre géant japonais un peu ridicule qui fait plus rire qu'effrayer. Je l'ai achetée, question de me rappeler de bons souvenirs…

VRAI OU FAUX ?

Est-ce que quelqu'un t'a déjà insulté en te traitant de *petite tête* ? Parce que ce n'est pas très, très poli… La mienne, pas celle que j'ai sur mes épaules mais l'autre, est aussi appelée *tsantzas*. C'est un objet rituel jadis fabriqué à partir de vraies têtes humaines par des tribus d'Amérique du Sud telles que les Shuars.

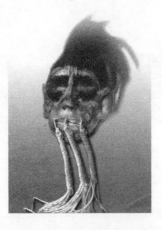

Est-ce que tu crois que ma tête réduite est une vraie ? Je vais te laisser dormir là-dessus…

HA ! HA ! HA !

RICHARD

VOICI TOUS LES AUTRES LIVRES DE LA COLLECTION

PASSEPEUR

N° 1,
Perdu dans le
manoir Raidemort

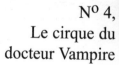

N° 2,
Le prof cannibale

N° 3,
La pleine lune des
mutants garous

N° 4,
Le cirque du
docteur Vampire

N° 5,
La momie du pha-
raon Déhb-ile

N° 6,
Les gluants
de l'espace

N⁰ 7,
Le cimetière flottant

N⁰ 8,
Monstropoly

N⁰ 9,
La chose dans
ma chambre

N⁰ 10,
La cantine morbide
de Loup Ragoût

N⁰ 11,
Les mauvais tours
de Maggie Noire

N⁰ 12,
Le jeu de Mutando

N⁰ 13,
C'est arrivé...
DEMAIN !

N⁰ 14,
Scooter terreur

 Nº 15,
Naufragés sur
Crânîle

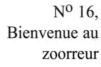 Nº 16,
Bienvenue au
zoorreur

 Nº 17,
La fusée médiévale

Nº 18,
L'ordinapeur

 Nº 19,
Le labyrinthe du
cyclope

Nº 20,
Horrifique parc

 Nº 21,
Le monstre de
Zombiville

Nº 22,
La tour est folle

 Nº 23,
Eau-secours !

 Nº 24,
Les cadeaux du
père Cruel

 Nº 25,
Les châteaux de
Malvenue

Nº 27,
Le temple
Kôchemort